D1245778

*Comment faire l'amour avec un Nègre
sans se fatiguer*

Le Cri des oiseaux fous
roman, 2015.

Le Charme des après-midi sans fin
roman, 2016.

L'Odeur du café
roman, 2016.

Le Goût des jeunes filles
roman, 2017.

Pays sans chapeau
roman, 2018.

DANY LAFERRIÈRE

de l'Académie française

COMMENT FAIRE L'AMOUR AVEC UN NÈGRE SANS SE FATIGUER

Roman

ZULMA

18, rue du Dragon

Paris VIe

La couverture de
Comment faire l'amour avec un Nègre sans se fatiguer
a été créée par David Pearson,
à partir d'une œuvre originale de Randolpho Lamonier.

Première publication : Lanctôt éditeur, 1985.
© Dany Laferrière, 2015.
© Grasset & Fasquelle, 2016.
© Zulma, 2020, pour la présente édition.

Si vous désirez en savoir davantage sur Zulma
ou sur *Comment faire l'amour avec un Nègre sans se fatiguer*
n'hésitez pas à nous écrire
ou à consulter notre site.
www.zulma.fr

ℨ

À Roland Désir,
en train de dormir,
quelque part,
sur cette planète.

Le Nègre est un bien meuble.
Code Noir, 1685

I

Le Nègre Narcisse

Pas croyable, ça fait la cinquième fois que Bouba met ce disque de Charlie Parker. C'est un fou de jazz, ce type, et c'est sa semaine Parker. La semaine d'avant, j'avais déjeuné, dîné, soupé Coltrane et là, maintenant, voici Parker.

Cette chambre n'a qu'une qualité, tu peux jouer du Parker ou même du Miles Davis ou un coco plus bruyant encore comme Archie Shepp à 3 heures du matin (avec des murs aussi minces que du papier fin) sans qu'aucun imbécile ne vienne te dire de baisser le son.

On crève, cet été, coincés comme on est entre la Fontaine de Johannie (un infect restaurant fréquenté par la petite pègre) et un minuscule bar topless, au 3670 de la rue Saint-Denis, en face de la rue Cherrier. C'est un abject taudis que le concierge a refilé à Bouba pour 120 dollars par mois. On loge au troisième. Une chambre exiguë, coupée en deux par un affreux paravent japonais à grands oiseaux stylisés. Un réfrigérateur constamment en état de palpitation comme si on nichait à l'étage d'une gare ferroviaire. Des bunnies de *Playboy* punaisées au mur qu'on a dû enlever en arrivant pour éviter le suicide qu'un tel genre de choses entraîne inévitablement. Une cuisinière aux foyers aussi glacés que des tétons de sorcière volant par -40 degrés. Avec, en prime, la Croix du mont Royal, juste dans l'encadrement de notre fenêtre.

Je dors sur un lit crasseux et Bouba s'est arrangé avec ce Divan déplumé, tout en bosses. Bouba semble l'habiter. Il boit, lit, mange, médite et baise dessus. Il a fini par épouser les vallonnements de cette pouffiasse gonflée au coton.

Dès notre arrivée dans cette bauge étroite, Bouba s'est installé sur ce Divan avec la collection complète de l'œuvre de Freud, un vieux dictionnaire dont les premières lettres (*A B C D* et une partie de *E*) manquent et un volume dépenaillé du Coran.

Bouba passe ses journées, apparemment, à ne rien faire. En réalité, il purifie l'univers. Le sommeil nous guérit de toutes les impuretés physiques, les maladies mentales et les perversions morales. Bouba fait, entre deux lectures du Coran, des cures de sommeil qui peuvent durer jusqu'à trois jours. Le Coran, dans sa sagesse infinie, dit : « Toute âme subira la mort. Vous recevrez vos récompenses au jour de la résurrection. Celui qui aura évité le feu et qui entrera dans le paradis, celui-là sera bienheureux, car la vie d'ici-bas n'est qu'une jouissance trompeuse. » (Sourate III, 182.) Le monde peut alors sauter ou faire ce que bon lui semble, Bouba dort.

Son sommeil est, parfois, aussi aigu que la trompette de Miles Davis. Bouba est alors ramassé sur lui-même, le visage fermé, les genoux repliés sous le menton. D'autres jours, je le trouve abattu, les bras en croix, la gueule ouverte sur un trou noir, les orteils pointés vers le plafond. Le Coran dans sa pleine magnanimité dit : « Tu fais succéder la nuit au jour et le jour à la nuit, tu fais sortir la vie de la mort et la mort de la vie. Tu accordes la nourriture à qui tu veux sans compte ni mesure. » (Sourate III, 26.) Bouba espère ainsi gagner sa place aux côtés d'Allah (que son saint nom soit béni).

Charlie Parker crève la nuit. Une nuit moite et lourde des *Tristes Tropiques*. Le jazz me ramène toujours à La Nouvelle-Orléans et ça fait un Nègre nostalgique.

Bouba est affalé sur le Divan dans sa pose habituelle (couché sur le côté gauche, face à La Mecque) à siroter du thé de Shanghai tout en feuilletant un bouquin de Freud. Comme Bouba est complètement toqué de jazz et qu'il ne reconnaît qu'un gourou (Allah est grand et Freud est son prophète), ça ne lui a pas pris de temps à bricoler cette thèse complexe et sophistiquée où, au bout du compte, Sigmund Freud devient l'inventeur du jazz.

— Et avec quelle pièce, Bouba ?

— *Totem et Tabou*, Vieux.

Vrai, il m'appelle Vieux.

— Si Freud avait écrit du jazz, bon Dieu de merde, cela se saurait.

Bouba prend alors une longue respiration. Ce qu'il fait chaque fois qu'il a affaire à un incrédule, un cartésien, un rationaliste et un réducteur de têtes. Le Coran dit : « Veille donc, ô Muhammad : car eux aussi veillent et épient les événements. »

— Tu sais, parvient à chuchoter Bouba en guise d'explication, tu sais bien que S.F. a vécu à New York.

— Bien sûr.

— Alors, il aurait pu apprendre à jouer de la trompette de n'importe quel musicien tuberculeux de Harlem.

— Possible.

— Sais-tu au moins c'est quoi, le jazz ?

— Je ne peux pas le dire, mais si on en joue devant moi, je suis capable de l'identifier.

— Bon, dit Bouba après une longue minute

de méditation, écoute ça alors.

Et me voici avalé, absorbé, annihilé, bu, digéré, mastiqué par ce Niagara de mots débités, dans un délire fantastique, avec une diction paranoïaque, le tout secoué de pulsations jazzées au rythme des incantations de sourates, avant de comprendre que Bouba me fait une lecture hachée, syncopée des tranquilles pages 68 et 69 de *Totem et Tabou*.

L'effigie de la princesse égyptienne Taïah surmonte le vieux Divan où Bouba passe ses journées, couché ou assis sur ses jambes repliées à brûler des résines odorantes dans un brûle-parfum oriental. Il se fait, sans arrêt, du thé sur un réchaud à alcool en lisant des livres rares sur l'art assyrien, les mystiques anglais, les Vèvès du vaudou, la Fata Morgana de Swinburne. Il passe ainsi son précieux temps à admirer sur une gravure, achetée rue Saint-Denis, le corps frais de la Beata Béatrice de Dante Gabriel Rosseti.

— Écoute ça, Vieux.

Ça fait une trentaine de fois, depuis le début de cette semaine, que j'écoute ça. Ça, c'est une passe de Parker. Le visage de Bouba, tendu comme un mât de misaine, écoute aussi. On entendrait facilement voler une tsé-tsé. Saint Parker des Enfers, priez pour nous. J'écoute de mon mieux.

Bouba boit littéralement chaque note rauque qui sort du sax de Parker. Juste au milieu de la Grande Passe (Bouba dixit), exactement au moment où le vieux Parker (1920-1955) allait attaquer ces précieuses secondes (128 mesures) qui ont révolutionné le jazz, l'amour, la mort et toute notre foutue sensibilité, juste à ce moment le ciel choisit de déferler sur nos têtes sous le mode brutal d'un baisage à fond de train zébré de hurlements stridents, de cris de bête blessée, d'arrachements (les tripes dans une cavalcade de chevaux rétifs, juste là, au-dessus de nos têtes). La table tournante tressaute comme une rainette aux doigts adhésifs. Qu'est-ce que c'est? Est-ce le courroux d'Allah? « N'examinent-ils pas attentivement le Coran? Si tout autre qu'Allah en était l'auteur, n'y trouveraient-ils pas une foule de contradictions? » (Sourate IV, 84.) Est-ce Ogoun, le dieu de feu du panthéon vaudou? Bouba croit, tout simplement, que nous avons loué l'antichambre de l'enfer et qu'au-dessus de nous vit Belzébuth soi-même. Le bruit reprend avec plus de violence. Plus fort. Plus précipité. On dirait nettement une course effrénée des quatre chevaux de l'Apocalypse. Parker a juste le temps de jouer *Cool Blues* et après, ce petit monstre d'invention, de folie sonore, *Koko* (1946). La seule pièce musicale à pouvoir faire face à cette démence qui nous tombe du ciel. Le plafond descend d'un millimètre dans un nuage de poussières roses. Soudain, rien. On attend avec impatience, en haleine, la fin du monde. L'Apocalypse privée. Sur mesure. Silence. Puis ce cri tendu, en contre-ut, aigu, soutenu, inhumain, tantôt allegro, tantôt andante, tantôt pianissimo, cri interminable, inconsolable, électronique, asexué, sur fond de sax Parker ; unique chant de cette aube.

II

La Roue du temps occidental

Ça va terriblement mal ces temps-ci pour un Dragueur nègre consciencieux et professionnel. On dirait la période de Négritude terminée, *has been, caput, finito*, rayée. Nègre, *out. Go home Nigger*. La Grande Passe Nègre, finie! *Hasta la vista, Negro. Last call, colored*. Retourne à la brousse, p'tit Nègre. Faites-vous hara-kiri là où vous savez. Regarde, maman, dit la jeune Blanche, regarde le Nègre coupé. Un bon Nègre, lui répond le père, est un Nègre sans couilles. Bon, bref, telle est la situation en ce début des années 80 marquées d'une pierre noire dans l'histoire de la civilisation nègre. À la bourse des valeurs occidentales, le bois d'ébène a encore chuté. Si, au moins, le Nègre éjaculait du pétrole. L'or noir. Triste, le sperme du Nègre est blanc. Par contre, le Jaune remonte le courant. C'est propre, le Japonais, ça prend pas de place et ça connaît le Kama-sutra comme sa pre-mière Nikon. Si vous voyiez ces poupées jaunes (1,25 mètre, 110 livres), aussi portatives qu'une boîte de maquillage au bras de ces longues filles (mannequins, vendeuses de grands magasins), c'est à vous arracher des gémissements bleus. Paraît que les Japs sont autant faits pour le disco que les Nègres pour le jazz. Pourtant ce ne fut pas toujours ainsi. *God* n'a pas toujours été jaune. Le traître. Dans les années 70, l'Amérique était encore bandée sur le Rouge. Les étudiantes blanches faisaient leur B.A. sexuelle quasiment dans les réserves indiennes. Les résidentes se contentaient des rares étudiants indiens qui traînaient encore sur les campus. Naturellement un grand nombre de Peaux-Rouges accouraient d'un aussi grand nombre de tribus, attirés par l'odeur de la chair des jeunes squaws blanches. On a beau être un jeune Iroquois fier, la baise gratuite c'est mieux que l'eau-de-vie. Alors les filles blanches se foutaient à l'Huron. La baise cheyenne, c'est le pied. Ce n'est pas rien de baiser avec un type dont le nom exact est Taureau Fougueux. À chaque hurlement entendu la nuit dans les dortoirs, on pouvait deviner, suivant la modulation, qu'un Huron, un Iroquois ou un Cheyenne venait d'ensemencer une jeune Blanche de son foutre rouge. Cela a duré jusqu'à ce que chaque Indien ait écopé d'une syphilis chronique. La race blanche anglo-saxonne étant de ce fait menacée dans sa survie, l'Establishment arrêta à temps le massacre. Les filles wasp furent traitées drastiquement à la pénicilline, après qu'on eut renvoyé les étudiants indiens dans leurs réserves respectives achever en douce le génocide commencé avec la Découverte. Les universités reprirent leur train-train quotidien, gris, blême, sans issue, et au moment où les filles commençaient à vraiment s'ennuyer avec les types fades, pâles et blafards des Ivy League, éclatèrent sur les campus les premières violentes, puissantes et incendiaires manifestations des Black Panthers. « Enfin, du sang ! » crièrent en chœur les Joyce, Phyllis, Mary et Kay, désespérées de la baise à la petite semaine qui conduit à ce genre d'union conventionnelle et à une vie grise et frustrée avec les John, Harry, Walter et consorts. Baiser nègre, c'est baiser autrement. L'Amérique aime foutre autrement. La vengeance nègre et la mauvaise conscience blanche au lit, ça fait une de ces nuits ! En tout cas, il a fallu quasiment tirer des dortoirs nègres les filles aux joues roses et aux cheveux blonds. Le grand Nègre de Harlem baise ainsi à n'en plus finir la fille du Roi du rasoir, la plus blanche, la plus insolente, la plus raciste du campus. Le grand Nègre de Harlem a le vertige d'enculer la fille du propriétaire de toutes les baraques insalubres de la 125e (son quartier), la baisant pour toutes les réparations que son salaud de père n'a jamais effectuées, la forniquant pour l'horrible hiver de l'année dernière qui a emporté son jeune frère tuberculeux. La jeune Blanche prend aussi pleinement son pied. C'est la première fois qu'on manifeste à son égard une telle qualité de haine. La haine dans l'acte sexuel est plus efficace que l'amour. C'est fini, tout ça. La dernière guerre livrée en Amérique. À côté de cette guerre des sexes colorés, celle de Corée fut une escarmouche. Et la guerre du Vietnam, une plaisanterie sans incidence sur le cours de la civilisation judéo-chrétienne. Si vous voulez un aperçu de la guerre nucléaire, mettez un Nègre et une Blanche dans un lit. Mais, aujourd'hui, c'est fini. Nous avons frôlé la destruction totale sans le savoir. Le Nègre était la dernière bombe sexuelle capable de faire sauter la planète. Et il est mort. Entre les cuisses d'une Blanche. Au fond, le Nègre n'est qu'un pétard mouillé, mais ce n'est pas à moi de le dire. Place aux Jaunes. Ce sont les Japonais qui mènent la danse sur le volcan. C'est leur tour. Le casino de la baise. Rien à redire. Rouge, Noir, Jaune. Noir, Jaune, Rouge. Jaune, Rouge, Noir. La roue du temps occidental.

III

Belzébuth, le dieu des Mouches, habite l'étage au-dessus

Faut lire Hemingway debout, Basho en marchant, Proust dans un bain, Cervantès à l'hôpital, Simenon dans le train (Canadian Pacific), Dante au paradis, Dosto en enfer, Miller dans un bar enfumé avec hot-dogs, frites et coke… Je lisais Mishima avec une bouteille de vin bon marché au pied du lit, complètement épuisé, et une fille à côté, sous la douche.

Elle passa une tête dégoulinante par la porte entrebâillée de la salle de bains pour me demander deux ou trois choses à la fois : une serviette pour cacher ses seins, une seconde pour passer autour de ses hanches (chic, Gauguin !), une troisième pour ses cheveux mouillés et une dernière pour ne pas poser ses pieds sur le plancher sale.

Elle me sourit en sortant de la salle de bains. Ça m'a coûté quatre serviettes de voir sa dentition. Je reprends ma position initiale, ouvrant Mishima à la page 78, pour me plonger dans le Japon d'avant la guerre durant 88 secondes, c'est-à-dire trois pages et deux tiers, avant de sombrer dans un sommeil de Nègre bonze du Fuji.

Vraiment, on n'a aucune chance de dormir par cette chaleur. J'avais laissé la fenêtre ouverte et l'air chaud m'a complètement mis KO. Je me sens aussi groggy qu'un de ces minables boxeurs qui pullulent dans les romans d'Hemingway. Je n'ai même plus la force de me traîner sous la douche. Je flotte déjà dans un océan de coton.

Je ne peux pas dire combien de temps j'ai passé dans cet état. Je reprends conscience en entendant un lointain bz bz. Une énorme mouche verte aux yeux couperosés vole, en se cognant sans arrêt, au-dessus de l'évier. Elle a l'air aveugle. Complètement soûlée par la chaleur. Ses ailes bougent frénétiquement. Une mouche sous codéine. Elle se cogne une dernière fois contre le mur avant de piquer, en kamikaze, dans l'eau de vaisselle.

Je regarde, couché, les boîtes de carton et les sacs verts à ordures bourrés de linge sale, de bouquins, de disques (soldes) et de bouteilles d'épices qui traînent sur le plancher depuis deux jours.

La vieille mouche a arrêté de bouger depuis un moment. Elle flotte sur le dos. Son ventre jaune pollen est gonflé d'eau. Je reprends Mishima, page 81. Les mots m'apparaissent comme des esquisses de mouches. Les lettres tremblantes, secouées de légers frissons. La phrase cahotante, vivante, bougeant sous mes yeux.

La mouche dérive, raide morte, entre les verres. Je suis l'unique responsable devant le dieu des Mouches. Bouba croit que Belzébuth habite l'étage au-dessus.

La bouteille gît encore au pied du lit. Je bois une bonne rasade avant de sombrer de nouveau dans la plus douce somnolence. Le vin descend, onctueux, chaud, dans ma gorge. Pas mal pour un vin de mauvaise qualité. Je me sens mou et comblé.

IV

Le Nègre est du règne végétal

1 2 3 4 5 6 7 8 9 10, je me lève, évite la douche
et me lave vigoureusement le visage dans le lavabo.
Le contact avec l'eau froide achève de me réveiller.
Bouba est sûrement sur le mont Royal à reluquer
les filles en train de bronzer. Le Divan a l'air d'une
épouse délaissée. Bouba reviendra un peu tard.
C'est son jour de sortie. Il le fait une fois par
semaine. Bouba, à bien y penser, est un ermite. Il
peut rester des jours entiers sans même allumer la
lumière. Il reste ainsi couché à méditer et à prier.
Bouba veut devenir un pur d'entre les purs. Il
entend relever le défi lancé à Muhammad (« Saurais-
tu, ô Muhammad, faire entendre le sourd, et diriger
l'aveugle et l'homme plongé dans l'égarement
inextricable ? » Sourate XLIII, 39).

Miz Littérature m'a laissé un billet (plié en quatre
au coin du miroir). Je l'avais oubliée, celle-là. C'est
la fille de l'université McGill et c'est Bouba qui
l'a surnommée Miz Littérature. C'est comme ça
avec Bouba. Cette fille qu'on a rencontrée l'autre

jour à une terrasse de la rue Saint-Denis en train de manger une glace, c'était Miz Sundae. Pour ne pas se mettre Gloria Steinem sur le dos, on écrit Miz.

Miz Littérature a tourné deux longs paragraphes pour m'apprendre qu'elle est allée à une « délicieuse pâtisserie grecque sur Park Avenue ». Drôle de fille, je l'avais rencontrée à l'université (à une soirée littéraire typiquement McGill). J'avais laissé entendre que Virginia Woolf valait bien Yeats ou une bêtise de ce genre. Peut-être avait-elle trouvé ça baroque dans la bouche d'un Nègre.

La chambre baigne dans une atmosphère moite et sombre. La mouche a rejoint depuis un certain temps ses copains d'éternité. Là-haut, Belzébuth s'est calmé. Des sacs verts gisent au milieu de la pièce, la gueule béante. Dans une boîte (grosse boîte de carton Steinberg), jetés pêle-mêle : des chaussures, une boîte de sel iodé Sifto, des bottes d'hiver racornies, une brosse à dents, un tube de dentifrice entamé, des bouquins, des posters de Van Gogh enroulés, des stylos, une paire de lunettes noires, un ruban neuf pour ma vieille Remington et un réveille-matin. Je range tranquillement tout ça dans un coin, près du réfrigérateur. La lumière du jour me parvient en lames par les interstices de la fenêtre.

Je fais immédiatement deux paquets avec les vieux journaux, parviens difficilement à les ficeler et à les empiler au pied de la table. Je bouge ainsi, silencieusement, dans la pénombre. J'ai suffisamment sué pour une douche. La salle de bains est minuscule, mais il y a une baignoire, un lavabo et une douche (ce qui est un véritable miracle pour le coin). Les vieux immeubles de la zone, s'ils possèdent une baignoire, n'ont pas de douche.

Miz Littérature a laissé son odeur dans la salle de bains. Gide rapporte dans son journal (*Retour du Tchad*) que ce qui l'avait frappé en Afrique, c'était l'odeur. Une odeur fortement épicée. Odeur de feuilles. Le Nègre est du règne végétal. Les Blancs oublient toujours qu'ils ont, eux aussi, une odeur. La plupart des filles de McGill sentent la poudre Bébé Johnson. Je ne sais pas ce que cela vous fait de faire l'amour avec une fille (majeure, vaccinée) qui pue la poudre de bébé. Pour ma part, je ne peux résister à l'envie de lui faire des guili-guili.

Miz Littérature a aussi apporté avec elle son nécessaire de toilette. Danger. Que veut-elle ? Entend-elle sous-louer l'unique pièce que nous partageons, Bouba et moi ? Elle habite sûrement un immense appartement bien éclairé, bien aéré, bien parfumé, à Outremont, et c'est ici qu'elle entend vivre ! En plein Tiers-Monde. Tous ces infidèles ne sont que des pervers.

Le sac béant de Miz Littérature laisse voir une brosse à dents (il y a déjà une constellation de brosses à dents sur mon lavabo), un tube de dentifrice Ultra Brite (pense-t-elle que la blancheur des dents du Nègre est uniquement un mythe ? Eh bien, détrompe-toi, Wasp. Nenni, pure laine. Pur ivoire sur bois d'ébène !). Il y a aussi un savon spécial pour peau sèche, deux tubes de rouge à lèvres, un crayon à sourcils, des serviettes hygiéniques et un petit flacon de Tylenol.

Je traîne partout avec moi cette photo de Carole Laure. Bouche gourmande et yeux mouillés à côté du visage long et doux d'adolescent raffiné de Lewis Furey. Il fait trop gosse de riche, intelligent, sophistiqué, doux, futé à souhait, merde ! Tout ce que j'aimerais être. En prime, Carole Laure. Carole Laure dans mon lit. Carole Laure en train de me préparer un bon repas nègre (riz et poulet épicé). Carole Laure assise à écouter du jazz avec moi dans cette misérable chambre crasseuse. Carole Laure, esclave d'un Nègre. Qui sait ?

Vue au microscope, cette chambre aurait l'air d'un véritable camembert. Forêt d'odeurs. Grouillement (on dirait du papier qu'on déchire) de bestioles luisantes. En été tout pourrit si facilement.

Les microbes baisant par millions avec une telle frénésie. J'imagine ainsi la planète et parmi ces millions de microbes jaunes, il m'arrive de rêver que, sur les 500 millions de Chinoises, il y en a peut-être au moins 500 pour qui j'aurais été le Mao Nègre.

V

Le Cannibalisme à visage humain

Trois petits coups discrets à la porte. J'ouvre. Miz Littérature entre les bras chargés de pâté de foie, de croissants, de fromage (brie, oka, camembert), de saucisses fumées, de pain français, de desserts grecs et d'une bouteille de vin. Je fais rapidement un ménage sommaire, tout ragaillardi à l'idée de manger autre chose que des hamburgers du Zorba ou des spaghettis à la sauce Da Giovanni.

J'ouvre grand la fenêtre, l'air sec et brûlant s'engouffre dans la pièce par vagues successives. Je dégage l'évier des assiettes et des verres sales et je fais partir l'eau savonneuse. La mouche, aspirée, file droit vers un monde meilleur (« Assurément, j'en jure par la lune », Sourate LXXIV, 35). Adieu, Mouche.

Miz Littérature achève de ranger la table. Elle met l'eau du thé à bouillir. Je m'installe. Elle me verse du vin. Je ferme les yeux. Se faire servir par une Anglaise (Allah est grand). Je suis comblé. Le monde s'ouvre, enfin, à mes vœux.

Je me surprends à regarder Miz Littérature d'un autre œil. Elle a l'air tout à fait normal, pourtant. C'est une grande fille légèrement cassée à la taille avec des bras d'albatros, des yeux trop vifs (trop confiants), des doigts fins et un visage étonnamment régulier. Il semble qu'elle n'a jamais porté d'appareil aux dents, ce qui est à peine croyable pour une fille d'Outremont. Elle a aussi de petits seins et elle chausse du 10.

— Tu ne manges pas? lui dis-je.

— Non.

Elle me répond avec un sourire. Le sourire est une invention britannique. Pour être précis, les Anglais l'ont rapporté de leur campagne japonaise.

— Comment! tu ne manges pas?

— Je te regarde, souffle-t-elle.

Elle me dit cela tranquillement, tout en me regardant.

— Ah bon, tu me regardes.

— Je te regarde.

— Alors, t'aimes ça me voir manger?

— T'as un tel appétit…

— Tu te fous de ma gueule.

— Je t'assure, ça me fascine de te voir manger. Tu fais ça avec une telle passion. Je n'ai jamais vu personne d'autre le faire ainsi.

— Et c'est drôle?

— Je ne sais pas. Je ne crois pas. Ça me touche, tout simplement.

Ça la touche de me voir manger. Elle est incroyable, Miz Littérature. Elle a été dressée à croire à tout ce qu'on lui dit. C'est sa culture. Je peux lui raconter n'importe quel boniment, elle secoue la tête avec des yeux émus. Elle est touchée. Je peux lui dire que je mange de la chair humaine, que quelque part dans mon code génétique se trouve inscrit ce désir de manger de la chair blanche, que mes nuits sont hantées par ses seins, ses hanches, ses cuisses, vraiment, je le jure, je peux lui dire ça et elle comprendra. D'abord, elle me croira. Tu t'imagines, elle étudie à McGill (une vénérable institution où la bourgeoisie place ses enfants pour leur apprendre la clarté, l'analyse et le doute scientifique) et le premier Nègre qui lui raconte la première histoire à dormir debout la baise. Pourquoi ? Parce qu'elle peut se payer ce luxe. Si je me permets la moindre naïveté, ne serait-ce qu'une seconde, je suis un Nègre mort. Littéralement. Je dois être une cible mouvante ; sinon, à la première émotion, ma peau ne vaudra pas cher. Miz Littérature peut bien se permettre d'avoir une conscience pure, claire et honnête. Elle en a les moyens. Quant à moi, j'ai su très tôt qu'il fallait en finir avec ce produit de luxe. Pas de conscience. Pas de paradis perdu. Pas de terre promise. Dis-moi : quelle aide une conscience peut-elle bien m'apporter ? Elle ne peut être qu'une cause d'embêtements pour un Nègre rempli à craquer de fantasmes, de désirs et de rêves inassouvis. C'est simple : je veux l'Amérique. Pas moins. Avec toutes les *girls* de Radio City, ses buildings, ses voitures, son énorme gaspillage et même sa bureaucratie. Je veux tout : le bon et le mauvais, ce qu'il faut jeter et ce qu'il faut conserver, ce qui est laid et ce qui est beau. L'Amérique est un tout. Alors, que voulez-vous que je fasse d'une conscience. Et je suis trop pauvre pour m'en payer une. De toute façon, si j'en avais vraiment une, elle serait au clou à l'heure qu'il est.

Au fond, il faut que je fasse attention à ne pas trop la charrier sur sa gentillesse et tout, car Miz Littérature est encore le meilleur parti qu'un Nègre puisse se permettre en temps de crise.

VI

Quand la planète sautera,
l'explosion nous surprendra
dans une discussion métaphysique
sur l'origine du désir

Bouba sort d'une cure de sommeil de 72 heures et il s'informe de la santé de notre planète.

— Alors la bombe?

— Pas encore.

— Tu peux me dire ce qu'ils attendent pour faire sauter ça?

— Ton signal, Bouba.

— Quel signal, Vieux?

— Le grand sommeil.

— Et toi, qu'est-ce qui te retient?

— L'idée qu'il y a encore de belles filles et l'illusion d'arriver à les baiser toutes, un jour.

— Ah! Vieux, la Beauté, qu'est-ce que c'est?

— C'est ce qui fait bander un Nègre perclus.

— Mais non, Vieux, tu n'y es pas. C'est le désir qui te fait bander.

— Peut-être... peut-être, Bouba, mais quelle est

la source de ce désir ?

— Quand tu bandes, c'est avec ta vision du monde que tu le fais, les fantasmes de ton adolescence, le temps qu'il fait… et la Beauté n'a rien à voir avec ça.

— Un beau cul…

— Ça n'existe que dans ta tête, Vieux.

— Tu crois vraiment que c'est simplement dans ma tête qu'un cul existe ?

— Sûr, Vieux. La preuve : quand tu fais l'amour avec une fille et qu'elle est couchée sur le dos, tu ne vois rien de ce fameux cul.

— Nous ne faisons pas ça tous de la même manière, Bouba.

— Ah ! de la poudre aux yeux, on revient toujours à ce bon vieux truc du missionnaire, crois-moi. Bon, prends la bouche. On rencontre une fille dans la rue. Elle a une bouche sensuelle et gourmande, ce que tu veux. Tu lui dis n'importe quoi, elle te répond n'importe quoi et vous vous embrassez deux heures plus tard : eh bien, quand tu l'embrasses, tu ne vois pas sa bouche. En *close-up*, on ne voit quasiment rien de quoi que ce soit.

— On l'embrasse avec son imagination, comme tu disais. En l'embrassant, on conserve l'image de sa bouche dans sa tête. D'ailleurs, c'est ce qui nous a poussé à l'embrasser. Au moment où on l'embrasse, le désir est quasi consommé.

— Alors la bouche que tu as dans ta tête, ta bouche idéale, est supérieure à la bouche réelle, à la bouche de telle fille rencontrée à tel coin de rue, à telle heure. Donc, à la dernière minute, elle pourrait changer de bouche et tu n'y verrais que du feu.

— C'est absurde, Bouba. Qui a déjà changé de bouche et pourquoi ?

— Cohérence, Vieux.

— Tu es un Nègre cartésien.

— C'est toi le cartésien, Vieux, je suis un freudien, un foutu Nègre freudien.

— OK, mais qu'est-ce que tu as contre la beauté ?

Bouba est maintenant assis sur le Divan. Le débat le prend au corps. C'est un charnel. On le sent à le voir suer. Son débit devient alors subitement très rapide. Il a l'air d'un félin reniflant une odeur de sang. Le sang de sa prochaine victime. Mon sang alors. Nez au sol, il suit son idée à la trace. Pour le moment, il feint de n'avoir pas entendu ma question. Je le connais depuis si longtemps. Son oreille est fine. Son intelligence, extrêmement vive. Il ne pense pas comme les autres. Il pense contre les autres. Il a sur toute chose une vision personnelle et l'exprime à l'aide de longues, souples et fragiles mains. Tout en parlant, il décrit dans l'air, avec ses mains, d'étranges arabesques étonnamment complexes, pareilles à des idéogrammes. À première vue, il donne l'air de chasser des mouches avec ses interminables mains qui ressemblent à des éventails de douairières mais, quand on les regarde attentivement et qu'on écoute ce qu'il dit, lui, on saisit le rapport organique qui existe entre l'idée et le mouvement de ses mains. Ce sont des mains minces et sophistiquées qui n'ont jamais travaillé. Des mains de vieux mandarin. C'est une ambiance assez baroque. Deux Nègres dans un appartement crasseux de la rue Saint-Denis, en train de philosopher à perdre haleine à propos de la Beauté, au petit matin. C'est le déjeuner des primitifs. Le thé bout. On n'a pas de radio, pas de télé, pas de téléphone, pas de journal. Rien qui nous relie à cette foutue planète. L'Histoire ne s'intéresse pas à nous et nous, on ne s'intéresse pas à l'Histoire. C'est kif kif. Ce qui me paraît important, en ce moment, c'est cette conversation gratuite et grave que j'entretiens avec ce foutu singe de Bouba. C'est ici et maintenant que se joue le sort de la civilisation judéo-chrétienne. Entre deux Nègres au chômage. Nous discutons de choses de la plus haute importance et Bouba, avec sa tête hirsute, confère une certaine mystique à notre débat. Bouba, pour l'instant, semble plongé dans une réflexion dangereuse pour sa santé mentale. Ce qu'il veut, c'est faire de moi une bouillie verbale. Il peut passer des nuits entières à discuter ainsi à propos du sexe des mouches (tiens! ça fait longtemps que je n'ai pas de nouvelles de Belzébuth. Je me demande ce qu'il devient là-haut). Rien ne résiste à sa lucidité maniaque. Son visage se crispe alors de tics, ses yeux deviennent petits, ronds et brillants. Il demeure couché sur son vieux Divan. Il vous permet d'apprécier, un peu avant l'aube, sa terrifiante machine rhétorique. Des phrases interminables, ponctuées de toux. Son monologue peut durer des heures, et il s'écoule de façon ininterrompue, en phrases souples, flexibles, proustiennes, comme un long ruban multicolore. C'est un malade du verbe. Torse nu, maigre, les cheveux en broussaille, la barbe pointue, on dirait un prophète de l'Ancien Testament (« J'en jure par l'étoile qui se couche », Sourate LIII, 1). Je l'imagine, facilement, le dernier homme debout sur cette planète nue après l'explosion nucléaire, parlant sans arrêt, et considérant le décor autour de lui comme un détail sans importance.

— Qu'est-ce que j'ai contre la Beauté ?
Bouba a l'air de savourer la question. C'est

vraiment une question pour lui. Le genre de question-marathon qui exige 42 kilomètres de mots. Une question qui ne le retient pas aux manches, le genre de truc avec lequel on change le monde. « Qu'est-ce que j'ai contre la Beauté ? » Bouba se gratte le menton. C'est un tic, chez lui. Ça veut dire que ce n'est pas le genre de question à laquelle on répond comme ça. Bouba se verse tranquillement du thé. Il n'est pas pressé. Il a tout son temps. L'éternité est de son côté. Dehors, les hommes s'agitent, se réveillent, s'habillent, déjeunent rapidement pour aller travailler. Des fourmis sans cervelle. Le monde a terriblement besoin de penseurs sans pouvoir, de philosophes affamés et de dormeurs impénitents (« Celui qui dort construit le monde », dit Héraclite) pour continuer à tourner. Bouba passe le plus clair de son temps sur ce Divan à reconstruire le monde. Aujourd'hui, il s'attaque à l'un des derniers bastions de l'Occident : la Beauté.

— Écoute, Vieux, écoute-moi bien, la Beauté est impudique.

— Hé ! t'es devenu un Nègre moraliste à présent.

— C'est thermodynamique, Vieux, c'est pas moral. Il se dégage une certaine température qui détermine le degré de désir que nous ressentons pour quelqu'un. Ce dégagement peut se faire dans les deux sens, vers l'extérieur comme vers l'intérieur.

— Possible, mais à quoi ça mène ? dis-je tout en restant méfiant des démonstrations de Bouba.

— Eh bien, le beau corps dégage uniquement vers l'extérieur.

— Quel mal y a-t-il à cela ?

— Je préfère l'implosion à l'explosion.

— C'est pas très net.

— Ah ! tu es du genre avec qui on doit aller droit au but. (Dès que je discute avec Bouba, il me parle comme à un inconnu.) Bon, voilà, Miz Beauté pense qu'elle te fait une faveur à baiser avec toi, tandis qu'avec Miz Piggy, c'est toi qui lui fais une faveur, et ça fait une sacrée différence, Vieux.

— Altruiste.

— Pas altruiste. Tout simplement, les rapports sont différents et à mon avantage.

— Ah ! bon…

— Comment ça ! T'as jamais fait l'amour avec une grosse fille laide, un peu demeurée et bourrée de complexes ? C'est l'extase, Vieux. Elle n'arrête pas de te chuchoter à l'oreille quel homme terrible tu es, tandis que quand tu fais l'amour avec une de ses copines de Brooke Shields, elle s'attend à des compliments, parle-moi, parle-moi, le fameux

« parle-moi » dont on parle tant d'ailleurs, ça veut tout simplement dire : je veux des compliments. Seul Allah doit recevoir des louanges. Le Coran dit : « Célébrez donc Allah le soir et le matin. » Miz Beauté ne parle pas. Il te faut seul découvrir ses zones érogènes, ses sujets de conversation, son horoscope. Miz Piggy, pendant ce temps, prend son pied. C'est pas tous les jours que ça lui arrive. C'est pour ça qu'elle entend aller jusqu'au bout. Et elle n'arrête pas d'en demander. Et c'est ça, Vieux, la véritable baise, le reste, c'est de la représentation, de la parade de mode, de la masturbation sur une belle image de *Vogue magazine*.

— Si, par malchance, tu tombes sur une laide et en même temps bonne à rien.

— Ça ne peut arriver qu'à toi, Vieux.

Si je comprends bien, le Divan doit être une de ces grosses bourrées de complexes et, en plus, bonnes baiseuses. Au fond, quand on regarde le Divan avec un minimum de sensibilité, on voit bien ce que l'œil aigu de Bouba avait perçu bien avant nous. Le Divan a la forme plantureuse et offerte des femmes de Rubens. Qui n'a pas rêvé, en regardant les toiles de Rubens, de prendre ce bain de chair. Chairs généreuses et onctueuses.

Bouba prend une dernière gorgée de thé et se recouche tout doucement comme un maharadjah nègre dans son harem de Saint-Denis. Le monde peut continuer sa folle course vers la mort nucléaire. Bouba dort.

VII

Faut-il lui dire qu'une bauge
n'est pas un boudoir?

Miz Littérature est arrivée en coup de vent avec un énorme bouquet de pivoines. Je suis encore au lit avec un bouquin de Bukowski. La fenêtre est fermée. Un filet de soleil coupe ma page en deux dans le sens de la longueur.

Je lis couché avec un oreiller derrière mes omoplates. La tête un peu relevée. Méthode garantie pour un bon torticolis. Malheureusement, c'est la position que je préfère pour lire. Je lis, généralement, tôt le matin quand il ne fait pas encore trop chaud et que je ne risque pas de me faire déranger d'une façon ou d'une autre. À cette heure, l'immeuble respire le calme. Mes voisins, la plupart des retraités, ne sont pas encore réveillés. Dans une heure ou deux, ça va être la ronde des petits déjeuners, le sifflement du lavabo, le bruit des brosses à dents et l'odeur du bacon.

Je regarde Miz Littérature bouger dans la pénombre. Il m'a semblé qu'elle porte une robe jaune à col blanc. Avec des chaussures de ballerine. Je l'imagine s'habillant avec soin, se parfumant (oh ! un rien), mettant son soutien-gorge (elle a de petits seins), tout ça pour venir faire la vaisselle chez un Nègre dans un appartement crasseux de la rue Saint-Denis, près du Carré Saint-Louis. Un coin de clochards. Miz Littérature a une famille importante, un avenir, de la vertu, une solide culture, une connaissance exacte de la poésie élisabéthaine et même, elle est membre d'un club littéraire féministe à McGill – les Sorcières de McGill – dont les membres s'occupent de remettre en circulation les poétesses injustement oubliées. Cette année, elles publient en édition de luxe, avec des encres de Valérie Miller, l'œuvre poétique d'Emily Dickinson. Alors, qu'est-ce qui ne marche pas ? Ce qu'elle fait ici, on lui braquerait un fusil sur la tête pour qu'elle fasse la même chose pour un Blanc, qu'elle n'en ferait même pas le dixième. Miz Littérature prépare sa thèse de doctorat sur Christine de Pisan. Ce n'est pas peu dire. Donc, pouvez-vous m'expliquer ce qu'elle fout dans cette baraque crasseuse ? Ne me dites pas, de grâce, que c'est encore un mauvais coup de l'amour. Elle serait follement amoureuse de n'importe quel type de McGill et celui-ci n'oserait pas lui demander le dixième de ce qu'elle fait ici spontanément, gratuitement et avec grâce.

— Qu'est-ce qui te prend de faire cette vaisselle maintenant ?

— Ça te dérange ?

— Pas vraiment.

— Tu lis ! Oh ! *sorry.*

Le pire, c'est qu'elle est réellement peinée. La lecture est sacrée pour elle. En plus, un Nègre qui lit, c'est le triomphe de la civilisation judéo-chrétienne ! La preuve que les sanglantes croisades ont eu, finalement, un sens. C'est vrai, l'Occident a pillé l'Afrique mais ce Nègre est en train de lire.

— Voilà, c'est fini.

Elle range, sagement, la vaisselle propre. Une fille merveilleuse. Son seul défaut, c'est qu'elle veut rendre à tout prix cette pièce agréable. Lui donner une touche outremontoise. Donc, chaque fois qu'elle vient me voir, elle apporte un objet. À ce rythme, dans six mois, on croulera sous les vases rares, les gravures, les lampes de nuit et toute cette saloperie qu'on achète dans les boutiques snobs de la rue Laurier. Tout ça vient du fait qu'on apprend aux gens de McGill à embellir leur quotidien. Tu parles d'une merde ! Je peux encore comprendre ça. Ce que je ne comprends pas, c'est pourquoi elle vient faire ça dans cette bauge ? Faut-il lui dire qu'une bauge n'est pas un boudoir ?

Peut-être qu'elle le fait pour mener deux vies. Une chez elle où elle est une princesse wasp, et une autre ici, où elle est l'esclave d'un Nègre. C'est peut-être passionnant. Avec suspense garanti parce qu'on ne sait jamais avec les Nègres. Si on la mangeait, là, d'un coup, miam miam, avec sel et poivre. Je vois déjà la première page de *La Presse*.

TOUTE LA VILLE EN PARLE

— Vous avez vu ça! L'étudiante de McGill mangée par deux Nègres.

— Comment sait-on ça?

— C'est la police qui a découvert un bras dans le réfrigérateur.

— Oh, mon Dieu! C'est la nouvelle politique de l'immigration, hein! Importer des cannibales.

— Ils l'ont pas violée avant, pendant qu'on y est?

— On ne peut pas savoir, madame, ils l'ont mangée.

— Oh, mon Dieu!

Miz Littérature est venue dans mon lit. J'ai déposé le livre au pied du lit, près de la bouteille de vin, avant de la couvrir (Miz Littérature). L'Occident ne doit plus rien à l'Afrique.

VIII

Et voilà Miz Littérature
qui me fait une de ces pipes

Miz Littérature verse de l'eau dans un vase en grès (qu'elle a apporté avant-hier) puis elle arrange soigneusement le bouquet. Ensuite, elle ouvre la fenêtre et y dépose le vase sur le coin gauche juste au-dessus de ma tête.

Miz Littérature est debout sur le lit et ses longues jambes, enveloppées dans un bas moka, me font penser au Golden Gate Bridge. Le soleil est maintenant arrivé. Un air chaud pénètre dans la pièce. Je laisse tomber le livre par terre et tire Miz Littérature vers moi.

Miller dit qu'il n'y a rien de mieux que faire l'amour à midi. Miller a raison.

Tous ceux qui espéraient apprendre quelque chose sur les mœurs sexuelles de Miz Littérature peuvent aller se faire voir ailleurs. C'est pas les bouquins porno qui manquent. Je recommande la collection Midnight. Par contre, Miz Littérature dit que je fais l'amour comme je mange. Avec la voracité d'un homme perdu sur une île déserte. À bien y penser, ce n'est pas un compliment. Curieusement, je lui fais l'impression d'un enfant innocent qu'on aurait trop maltraité. Elle aime me faire l'amour. Après la tempête, elle me garde dans ses bras. Je pique, là, un somme. Sur son sein blanc. Je suis son enfant. Un gosse méfiant, si dur parfois. Son gosse nègre. Elle me passe la main doucement sur le front. Moments heureux, doux, fragiles. Je ne suis pas que Nègre. Elle n'est pas que Blanche.

Si elle avait été en train de me faire une pipe, j'aurais eu le zob sectionné. D'un coup sec. Han! Cette fois, le plafond nous tombe véritablement sur la tête. Dans un nuage de poussières roses. Belzébuth met le paquet là-haut. C'est la baise à mort. Miz Littérature n'avait jamais assisté à une des séances de Belzébuth. La galopade. Les chevaux de l'Apocalypse. Le plafond qui craque. Nous restons figés avec, en tête, l'idée terrifiante d'un couple en train de baiser écrasant un autre couple au repos. Le Coran dit : « Dis-leur : Qu'en pensez-vous ? Si le châtiment vous surprend inopinément ou s'il tombe au grand jour, précédé de quelque signe, quel autre sera anéanti que le peuple des méchants. » (Sourate VI, 47.)

Miz Littérature regarde, depuis le début, droit devant elle. Comme hypnotisée. Ses lèvres tremblent légèrement. Une crispation du coin de la bouche.

Là-haut, Belzébuth remet ça. Miz Littérature est devenue rouge comme une écrevisse ébouillantée. Je suis sûr qu'elle va tomber en syncope. On dirait qu'ils se déchirent. C'est une super-performance. Je rebande légèrement. Je l'avoue à ma honte. Blanche, droite, digne, Miz Littérature jette un subreptice coup d'œil à mon pénis. Les veines sinueuses commencent à se tendre en ligne droite. On dirait la tête d'un serpent qui surgit. Le Coran dit : « Ô hommes ! craignez Allah qui vous a créés tous d'un seul homme ; de l'homme il forma sa compagne, et fit sortir de ces deux êtres tant d'hommes et de femmes. Craignez Allah au nom duquel vous vous faites des demandes mutuelles. Respectez les ventres qui vous ont portés. Allah observe vos actions. » (Sourate IV, 1.) Je ne regarde pas cette chose en train de m'avilir. Il n'y a pas à dire, l'homme est un animal pervers. Le Coran dit : « Combien de générations n'avons-nous pas anéanties ? Peux-tu trouver un seul homme qui reste ? As-tu entendu un seul d'entre eux proférer le plus léger murmure ? » J'essaie de penser à des choses déplaisantes comme *La Critique de la raison pure*.

Kant est un auteur porno. *La Critique* fait bander. Ça monte. Miz Littérature regarde toujours devant elle. On entend le souffle double de Belzébuth et de sa complice. On dirait un slow. Ils refont ça au ralenti. Dans certains films, on reprend les scènes de violence au ralenti et ça s'imprègne plus profondément en nous. On dirait de la violence injectée en nous. À l'aide d'une seringue. Dans nos veines. On sent tous les mouvements dans une sorte de ballet moderne. Deux corps nus, violemment enlacés dans un pas de deux de la mort. Mon sexe n'arrête pas de monter, obéissant à un ordre secret et indépendant de ma volonté. Miz Littérature pivote légèrement sur elle-même tout en le regardant avec une troublante fixité. Elle se baisse vers moi, réduisant l'angle à près de quinze degrés. Dans la position assise. Elle se baisse de plus en plus. Les yeux toujours fixes. Je ferme mes yeux et Miz Littérature, comme dans un état second, me prend dans sa bouche. Sa jolie gueule rose. J'en rêvais. J'en bavais. Je n'osais lui demander ça. Un acte aussi... Je savais que tant qu'elle ne l'avait pas fait, elle ne serait pas totalement à moi. C'est ça, le drame, dans les relations sexuelles du Nègre et de la Blanche : tant que la Blanche n'a pas encore fait un acte quelconque jugé dégradant, on ne peut jurer de rien. C'est que dans l'échelle des valeurs occidentales, la Blanche est inférieure au Blanc et supérieure au Nègre. C'est pourquoi elle n'est capable de prendre véritablement son pied qu'avec le Nègre. Ce n'est pas sorcier, avec lui elle peut aller jusqu'au bout. Il n'y a de véritable relation sexuelle qu'inégale. La Blanche doit faire jouir le Blanc, et le Nègre, la Blanche. D'où le mythe du Nègre grand baiseur. Bon baiseur, oui. Mais pas avec la Négresse. C'est à la Négresse à faire jouir le Nègre. Belzébuth remet ça, là-haut. Et voilà Miz Littérature qui me fait une de ces pipes. Je pense à mon village au bout du monde. À tous les Nègres partis pour la richesse chez les Blancs et qui sont revenus bredouilles. Je ne sais pas pourquoi – ça n'a rien à voir avec ce qui se passe ici –, je pense à une musique que j'ai entendue, il y a très longtemps. C'était un type de mon village qui avait un de ces disques Motown. Ça parlait d'un lynchage. Du lynchage, à Saint-Louis, d'un jeune Noir. On l'avait pendu et ensuite châtré. Pourquoi châtré? Cette interrogation me poursuivra toute ma vie. Pourquoi châtré? Hein! Pouvez-vous me le dire? Naturellement, personne ne voudra se mouiller sur un pareil sujet. Bon Dieu! J'aimerais bien savoir, être tout à fait sûr que le mythe du Nègre animal, primitif, barbare, qui ne pense qu'à baiser, être sûr que tout ça est vrai ou faux. Là. Direct. Définitivement. Une fois pour toutes. Personne ne vous le dira, mon ami. Le monde est pourri d'idéologies. Qui voudra se compromettre sur un tel sujet ? En tant que Noir, je n'ai pas assez de recul par rapport au Nègre. Le Nègre est-il ce cochon sensuel ? Le Blanc, ce cochon transparent ? Le Jaune, ce cochon raffiné ? Le Rouge, ce cochon saignant ? Seul le Porc est Porc. Je ne sais pourquoi j'ai toujours imaginé l'univers comme cette toile de Matisse. Ça m'avait frappé. C'est ma vision essentielle des choses. La toile, c'est *Grand intérieur rouge* (1948). Des couleurs primaires. Fortes, vives, violentes, hurlantes. Tableaux à l'intérieur du grand tableau. Des fleurs partout dans des pots de différentes formes. Sur deux tables. Une chaise sobre. Au mur, un tableau de l'artiste (*L'Ananas*) séparé par une ligne noire de démarcation. Sous la table, un chat d'indienne poursuivi par un chien. Dessins allusifs, stylisés. Flaques de couleurs vives. Sous les pieds arqués de la table de droite, deux peaux de fauve. C'est une peinture primitive, animale, grégaire, féroce, tripale, tribale, triviale. On y sent un cannibalisme bon enfant voisinant avec ce bonheur immédiat. Direct, là, sous le nez. En même temps, ces couleurs primaires, hurlantes, d'une sexualité violente (malgré le repos du regard), proposent dans cette jungle moderne une nouvelle version de l'amour. Quand je me pose ces questions

– ô combien angoissantes – sur le rôle des couleurs dans la sexualité, je pense à la réponse de Matisse. Elle m'accompagne depuis. Je ne savais pas encore que ce n'était pas suffisant pour faire face à l'orage de la vie et que je mourrais probablement avec les dents de ce problème enfoncées dans la gorge. Sans avertissement, j'éjacule – d'un jet puissant, éclaboussant tout le visage de Miz Littérature. Elle rejette, brusquement, la tête en arrière et j'ai le temps de voir une curieuse lumière au fond de ses yeux. Et elle replonge, bouche ouverte, vers mon pénis comme un piranha. Elle suce. Je grandis. Elle me chevauche. Ce n'est plus une de ces baises innocentes, naïves, végétariennes, dont elle a l'habitude. C'est une baise carnivore. Miz Littérature a commencé par pousser deux ou trois cris stridents. Le vase de pivoines, au-dessus de ma tête, menace à tout moment de nous fendre le crâne. Je fais l'amour au bord du gouffre. Miz Littérature s'est accroupie dans une sale position et elle monte et descend lentement le long de mon zob. Un mât suiffé. Son visage est complètement rejeté en arrière. Ses seins quasiment pointés vers le ciel et un sourire douloureux au coin de sa bouche. Je caresse ses hanches, son torse en sueur et la pointe exacerbée de ses seins. Elle se met tout à coup à me lancer de rapides et violentes saccades et un son rauque lui monte à la bouche.

— Baise-moi !

Ah ! merde alors, c'est incroyable ! Je passe mon temps à me faire du mauvais sang à cause de cet animal de Belzébuth qui réduit la sexualité au niveau de la bête mais voilà que je me rends compte que le type là-haut ne faisait que chanter à gorge déployée les fantasmes de Miz Littérature.

— Tu es mon homme.

Je l'ai renversée sur le dos. Elle s'est étalée, le corps aussi mou qu'un pouf. Les yeux complètement chavirés.

— Attends, me dit-elle dans un souffle.

— Qu'est-ce qui ne va pas ?

— Tu es la première personne à qui je dis ça.

— …

— Je veux être à toi.

On a refait l'amour. Miz Littérature s'est levée une heure après et elle est allée prendre sa douche. Elle est en retard d'une heure et demie pour son cours. Elle doit d'abord passer chez elle, se changer et ensuite filer à McGill. Je reste couché. Pas question de douche pour moi après l'amour. Je garde l'odeur. J'ouvre le bouquin de Bukowski. Miz Littérature m'embrasse pieusement sur le front et part en jetant un regard étonné sur le Divan où Bouba dort encore, la gueule ouverte et les bras en croix.

IX

Miz Après-Midi
sur une radieuse bicyclette

J'enlève gravement la housse de la vieille Remington 22. Elle me fait un sale clin d'œil. Ça fait trop
longtemps qu'on ne s'est vus. Elle boude. Je l'avais
mise au clou. Pour la rendre joyeuse (ce n'est pas
amusant de travailler avec une machine à écrire
déprimée), il faudrait la nettoyer complètement.
Alors, je la nettoie avec du *petroleum jelly*. La
Remington ruisselle comme une églantine sous la
pluie. Ma table de travail (qui sert aussi de table
à manger, de chaise supplémentaire et il m'arrive
aussi de baiser dessus) fait face à une mince cloison
et tourne le dos à la fenêtre. Le mur d'en face nous
sépare de la chambre d'un cycliste professionnel qui
nettoie jour et nuit sa ferraille. Finalement, le jour
entre dans la pièce. J'ouvre la boîte latérale de la
Remington pour y poser un ruban neuf. Le curseur
fonctionne comme sur des roulettes. Je glisse doucement une feuille blanche dans le tambour, place
une chaise devant la machine, m'assois tranquille-

ment, pose à mes pieds une bouteille de mauvais vin et, le rituel terminé, je m'assoupis, rêvant comme vous et moi d'être Ernest Hemingway.

Trois heures plus tard, la page encore blanche, je décide de faire plutôt un grand ménage (balai, nettoyage, vaisselle), comme quoi le génie peut s'exprimer partout. Des vagues successives de chaleur s'engouffrent par la fenêtre. J'empile les bouquins dans un coin sous la table et range la machine à écrire sous le lit.

Cette chambre est vraiment crasseuse. Je n'arrête pas de dire ça, mais c'est vrai. Je passe le balai partout, là où c'est possible, et descends ensuite la poubelle. On peut facilement rôtir dans cette chambre. L'air sent le soufre. La pièce va flamber d'un moment à l'autre. Je ramasse toutes les bouteilles qui traînent sous la table, sous le lit, sous le Divan. Je descends chez Pellat's les refiler au gros type qui m'avance de la monnaie en échange. L'Amérique. L'Amérique. L'Amérique! («Un jour nous susciterons un témoin pour chaque nation; alors on ne permettra point aux infidèles de faire valoir des excuses, et ils ne seront point accueillis», Sourate XVI, 87.) Ce petit exercice m'a mis en train. J'en profite pour aller faire le changement d'adresse au bureau de poste de la rue Sainte-Catherine. Je descends Saint-Denis jusqu'à Sainte-Catherine pour tourner en direction de Radio-Canada. L'air est tout grouillant à force d'être chaud. Il n'y aurait qu'à craquer une allumette pour faire flamber Montréal. Je marche sans me presser. Un peu en avant de moi, une fille sort de la librairie Hachette avec un Miller sous le bras et presque rien sur le corps. Ma température grimpe aussitôt à 120 degrés. Il fait 90 degrés à l'ombre. Un rien et je flambe comme une de ces baraques des favelas de Rio. Je m'étais dit qu'il faut éviter les filles à l'air. À chaque été, je deviens complètement dingue. Et toujours à cause d'une fille avec une glace. Miz Hachette croque une framboise. Au fond, qu'est-ce que c'est qu'une fille avec une glace sinon quelqu'un qui a faim ou soif? En été c'est plus que cela. Juste au moment où je vais tomber amoureux de Miz Hachette, j'aperçois une autre fille qui s'avance en sifflant sur une bicyclette radieuse. J'arrête de respirer. Elle freine et s'arrête au carrefour. Lumière rouge : le pied gauche au sol, les reins légèrement cambrés et la nuque dégagée. Les filles veulent un minimum de cheveux en été. Le corps tendu comme un arc. Lumière verte : elle donne un vigoureux coup de pédale du pied droit. Le corps projeté en avant. Dernières images : un dos pur, le mouvement gracieux des hanches, des cuisses graciles de pubère.

Émotion : la douleur de voir partir ainsi pour toujours quelqu'un qu'on a aimé éperdument, ne serait-ce que l'espace de douze secondes et trois dixièmes.

Longue file d'attente au bureau de poste. On est serrés comme des sardines. J'avise une sardine, juste devant moi. Elle lit un bouquin. Je suis une sardine maniaque de bouquins. Dès que je vois quelqu'un en train de lire un livre, il faut que je sache quel est le titre, si elle aime ça et de quoi ça parle.

— Ça parle de quoi ?
— Quoi ?
— Ton bouquin ?
— C'est un roman.
— Quel genre ?
— Science-fiction.
— T'aimes ça ?
— Comme ça.
— C'est pas bon alors ?
— Sais pas.
— T'aimes pas ça ?

Elle relève sa tête rousse. Il y a des regards qui font peur. C'est une surdraguée et elle en a marre.

— Qu'est-ce que tu veux ?

Elle a haussé le ton.

— Excuse-moi.

— Fous-moi la paix, veux-tu ?

— Oublie ça, je balbutie.

La plupart des gens de la file se retournent pour voir le Nègre en train d'agresser la Blanche. Une fille, un peu en avant dans la ligne, les cheveux coupés ras, se retourne, la rage au ventre. Elle élève la voix pour dire qu'ils sont tous des maniaques, des psychopathes et des emmerdeurs qui n'arrêtent pas de draguer. « Tu ne les vois jamais en hiver, mais dès l'été ils sortent, par grappes, de leur trou juste pour emmerder les gens avec leurs foulards, tambours, bracelets et cloches. Moi, je n'ai rien à voir avec leur folklore. Si au moins il n'y avait que les Nègres ! Mais non, maintenant, il y a les Sud-Américains avec leurs dizaines de chaînes au cou, leurs pendentifs, bagues, broches, toute cette bimbeloterie qu'ils n'arrêtent pas de proposer dans les cafés. Toujours quelque chose à vendre. Si c'est pas un bijou faussement maya, c'est leur corps. Pensent qu'à ça, les Latinos. » Les gens semblent tout d'abord un peu d'accord avec la fille aux cheveux coupés ras car qui n'a pas été, un jour ou l'autre, emmerdé par un dragueur folklorique, mais de là à attaquer le métier des pauvres Sud-Américains et la tradition des Nègres, c'est aller trop loin. Un homme de quarante ans s'interpose. Le syndicaliste typique. Visage buriné. « Il ne faut pas tout mélanger, dit-il, un emmerdeur est un emmerdeur et les Nègres ne sont pas tous des emmerdeurs. Si vous dites ça des Nègres, alors que doivent dire les Nègres de nous autres, colonialistes. Moi aussi, je crois que la drague est dégradante pour la femme mais que vaut une innocente drague à côté de la Traite des Nègres ? » Les gens demeurent un moment interloqués devant la perversité d'un tel argument. Le moment de stupeur passé, la fille aux cheveux ras réagit de nouveau. « Alors, c'est toujours la même chose, les colonialistes ont réalisé leurs fantasmes de domination phallique en écrasant les autres et au moment de régler l'addition, ce salaud propose, tout bonnement, que les Nègres baisent nos femmes. » « Nos » femmes ! Elle a dit « nos ». Tout le monde doit alors penser qu'il s'agit d'une lesbienne et qu'elle ne fait que plaider sa propre cause. Finalement, je parviens à faire ce changement d'adresse. Ensuite, je flâne sur la rue Sainte-Catherine. La chaleur est tout à fait intolérable. Je me réfugie alors dans une banque, à cause de la douce température de l'air conditionné, et devinez qui je vois : Miz Cheveux Ras et la fille du bureau de poste. Elle l'a eue. La drague est devenue quasiment impossible avec cette concurrence déloyale.

X

Une Remington 22
qui a appartenu à Chester Himes

Bouba est revenu du marché. Nous n'avions plus de réserves, à part quelques pommes de terre déshydratées et des oignons pourris. Bouba a profité du « spécial Pellat's » pour acheter une épaule de porc à 1,09 $, des échalotes fraîches à 2,39 $, six boîtes de soupe Campbell à 29 cents chacune, du détergent (ça manquait terriblement) à 1,87 $, une boîte de margarine Cremex (une saloperie) à 59 cents et, à prix régulier, un kilo de sel iodé, un sac de 25 livres de riz Uncle Ben's et trois boîtes de spaghettis.

Bouba fait un riz-poulet avec une sauce à l'arachide. L'odeur me stimule. Je m'installe devant la machine à écrire avec l'espoir de tirer quelque chose d'une Remington 22 qui a bien vu Joan Baez en chair et en os. Je l'ai achetée chez un brocanteur de la rue Ontario qui vend des machines à écrire avec pedigree. De vieilles machines. Il les vend à de jeunes écrivains car qui d'autre qu'un jeune écri-

vain serait assez gogo pour croire à un truc si vul-
gairement commercial. Et qui d'autre aussi se
croirait écrivain parce qu'il possède une machine
ayant appartenu à Chester Himes, James Baldwin
ou Henry Miller ? Alors, lui, il vend des machines
selon le style de bouquin que vous voulez écrire. Si
c'est un bouquin paranoïaque, on vous vend la
machine schizophrène qui a appartenu à Tennessee Williams ; si vous voulez plutôt une machine
suicidaire, il y a celle de Mishima. Pour ceux qui
s'intéressent aux sagas familiales, c'est l'Olivetti
de Carol Oates qui fera l'affaire. Comment réussir
un livre qui se vendra bien ? Alors il ne faut pas
hésiter à acheter le solide tas de ferraille en or de
Puzo. De même, si vous vous intéressez aux démêlés
d'un jeune sudiste avec ses voisins (un Juif génial
et désaxé et une jeune Polonaise perturbée), de
grâce, emportez la Corona de Bill Styron.
Comment ne pas hésiter devant un si vaste choix ?
Pour un jeune écrivain, c'est la caverne d'Ali Baba.
La voix du brocanteur ne m'a pas lâché un seul
instant, me proposant tour à tour la discrète
machine de Salinger, la machine d'occasion de
Gabrielle Roy, la pudique machine de Virginia
Woolf, etc. Voici cette machine terroriste qui a servi
à taper les déclarations des Black Panthers, c'est une
portative. Au bout du compte, j'avais le choix entre

la vieille Underwood d'Hemingway et cette Remington 22 qui a appartenu à Chester Himes. J'ai pris Himes.

Je traîne depuis longtemps, dans un carton de chaussures, quelques calepins bourrés de notes, un journal (que je tiens sporadiquement depuis trois ans) et un lot de fiches où sont annotés des phrases écrites spontanément, des croquis, des bouts de dialogues ramassés dans les bars, de brèves descriptions de gens rencontrés au hasard, des descriptions d'objets et d'animaux, etc., des réflexions sur le jazz, les filles, la faim. Une sorte de fourre-tout autobiographique où se retrouvent, pêle-mêle, début de roman, journal incomplet, rendez-vous manqués. Rien à faire avec une telle masse informe. La seule chose raisonnable possible, c'est d'y mettre le feu. J'assèche l'évier, je dépose la boîte dans l'évier et je m'apprête à y mettre le feu. (« Tâ Hâ, nous ne t'avons pas envoyé le Coran pour te rendre malheureux », Sourate XX, 1.)

Le riz-poulet est prêt. Je prépare la table, Bouba met un disque de Hawkins – *Blues for Yolande* – qu'il a enregistré avec Ben Webster.

— T'écris, Vieux ?

— Je fais comme je peux.

— Qu'est-ce que c'est ?

Bouba ne lit jamais ce que j'écris. Il n'aime qu'en parler, construire un projet, discuter un sujet, mais lire un manuscrit, ça, jamais. Il déclare avoir horreur d'être mis devant un fait accompli.

— Je suis sur un grand coup.

— Hé! (il a l'air heureux, Bouba). Raconte ça.

— Un roman.

— Dis pas… Un roman? Un vrai roman?

— Ben… un court roman. Pas vraiment un roman, plutôt des fantasmes.

— Arrête, Vieux, laisse ta critique à la noix aux pros usés et désabusés qui n'ont plus de jus. Un roman, c'est un roman. Court ou long. Raconte ça…

— C'est simple, c'est un type, un Nègre, qui vit avec un copain qui passe son temps couché sur un Divan à ne rien faire sinon à méditer, à lire le Coran, à écouter du jazz et à baiser quand ça vient.

— Et ça vient?

— Je suppose.

— Hé, Vieux, ça me plaît, vrai. J'aime ça, l'idée du type qui ne fout rien.

— Normal, puisque j'ai utilisé tes traits.

— Ah! ces écrivains, tous des salauds, rien que des salauds.

Bouba rit de son grand rire jazz.

— Alors, qu'est-ce qui arrive ?
— Rien d'important.
Le sax de Hawkins joue *Body and Soul* (1939).

XI

La Drague immobile

Miz Littérature arrive à point avec des gâteaux au fromage dans une boîte de carton blanc ficelée avec un ruban rose. Bouba avait gardé un vieux fond de vin caché dans un des replis du Divan. On arrose ça. Miz Littérature ne peut pas rester trop longtemps. Elle a un cours ce soir. J'aime ces passages en coup de vent.

Miz Littérature prend un peu de vin. Tout juste deux doigts. Elle a le vin euphorique. Elle se met brusquement à danser dans la pièce. Elle danse avec la grâce d'un albatros en se cognant sans cesse contre le Divan, la table, le réfrigérateur ou le paravent japonais. Elle enlève ses chaussures en les faisant voleter vers le plafond pour danser avec une force maladroite et un évident bonheur. Elle porte une robe blanche à col noir avec des bas gris-noir. Le plancher est jonché de mégots et couvert ici et là de taches encore humides de bière. Miz Littérature danse sans se rendre compte de la saleté tout autour d'elle. C'est un elfe sur un tas de fumier.

Elle ralentit, garde les bras en croix, puis s'écroule, foudroyée, sur le Divan, à côté de Bouba.

— Tu sais, Bouba, dit-elle, j'ai parlé de toi à mon amie Valérie, et elle n'arrive pas à me croire.

— Qu'est-ce qu'elle ne croit pas?

— Elle ne croit pas que tu existes.

Miz Littérature regarde Bouba avec les yeux d'une bodhisattva.

— Je lui ai dit que tu es le seul saint vivant de Montréal, que tu mènes une vie de moine, mangeant très peu, ne buvant que du thé...

— C'est ça, ma fiche?

— Ta vie est limpide. Tu la passes sur ce Divan à dormir, quand tu ne lis pas le Coran.

— Est-elle laide au moins, ta perle rare?

— Oh! elle est très belle.

— Il n'y a donc rien à faire.

Miz Littérature ne s'attendait pas à ça. Elle est restée une bonne minute bouche bée. Moi, je m'affaire à ma machine, corrigeant un chapitre que je viens tout juste de terminer. L'après-midi est assez doux. La boîte de carton, ventre ouvert, traîne sur la table. Une mouche se pose sur un gâteau comme un raisin sec. Miz Littérature se tourne vers moi pour une explication.

— Tu n'étais pas au courant?

— De quoi ? demande-t-elle.

— Tu ne savais pas que Bouba a une sainte horreur de la Beauté.

— Oh ! ciel ! quand Valérie va savoir ça, elle va devenir dingue. Elle qui a toujours rêvé de rencontrer quelqu'un qui s'intéresse à autre chose qu'à sa beauté.

Miz Littérature a repris du vin. Elle est très gaie, aujourd'hui. J'aime la gaieté des jeunes filles sérieuses. On sonne, Miz Littérature a un petit sourire espiègle.

— J'avais demandé à Valérie de passer me prendre.

Trois petits coups discrets. Décidément, c'est le code de McGill. Miz Littérature ouvre. Une magnifique fille entre. Une de ces filles qui vous laissent carrément baba. Elle a un sourire chaleureux. Elle n'en avait pas besoin pour être cette torche ambulante. Le visage de Bouba demeure impassible. Miz Littérature fait les présentations. Bouba regarde par la fenêtre. Une soirée frémissante. Il décroche son vieux chapeau de chasse. C'est son jour de sortie.

Je le jure sur la sourate fondamentale (« Louange à Allah souverain de l'univers », Sourate I, 1), c'est la plus fulgurante drague à laquelle il m'a été donné d'assister. Bouba parti, Valérie tombe littéralement en syncope. C'est le genre de belle fille, pas snob, à laquelle tout le monde fait des avances mais qui ne sort avec personne. Il y a toujours à McGill un imbécile, très riche, très beau, très intelligent, qui ne rêve que de l'épouser. On n'a qu'à rencontrer Valérie pour comprendre le drame. Elle a horreur d'elle-même, de sa propre beauté, de sa richesse, de son intelligence (le coup classique!). Elle pense que tout ça l'éloigne de la vérité. En gros, Valérie se cherche un gourou. Bouba Guru. Fallait y penser: pour avoir la plus belle fille de McGill, il suffit de rester chez soi. La drague, immobile.

XII

Miz Suicide sur le Divan

Bouba est assis sur le Divan comme un vieux bhikkhu déchiffrant les idéogrammes de Li Po, avec Miz Suicide à ses pieds buvant chacune de ses paroles. Miz Suicide, regardez-la bien, c'est une longue fille maigre, aux cheveux filasse et aux grands yeux comme perpétuellement écarquillés. Bouba est son conseiller en matière de suicide. Elle ne s'intéresse à rien d'autre. Personne ne s'intéresse non plus à elle, à part Bouba qui la reçoit chaque mardi et chaque jeudi, de 16 heures à 16 h 45, ce qui fait trois thés de quinze minutes chacun.

Miz Suicide prépare elle-même le thé dans un vieux samovar en faisant chauffer l'eau sur un réchaud à alcool. Miz Suicide, autant le dire, traverse la vie avec un paquet de Camel, des ongles sales et *Le Prophète* de Khalil Gibran. Bouba l'a repêchée à la librairie ésotérique, sur Saint-Denis, en face de la Bibliothèque nationale.

Assis sur le Divan comme une diva divaguant sans arrêt sur les sentences du vieux maître zen,

Bouba crée sans le savoir une ambiance délirante. Il lit, avec sa voix gutturale et mystique, le précieux petit livre du poète à barbiche, Li Po, sur la manière de boire le thé.

— Tu dois d'abord apprendre, explique Bouba, à respirer le thé avant de commencer à le boire.

Miz Suicide écoute avec le recueillement d'une véritable bodhisattva.

— Comme ça ?

— Non. Laisse-toi envahir lentement par le parfum du thé.

Miz Suicide plonge son nez consciencieusement dans la tasse. Quand elle finit par relever la tête, son nez tout embué fait un effet épouvantable, comme si elle venait de rater une noyade.

— Maintenant, lui dit Bouba, tu peux prendre ta première gorgée.

— Non, reprend-elle déjà fanatique, je veux le respirer encore.

Je me couche sur le lit, essayant tant bien que mal de faire le vide dans ma tête. Coleman joue *Blues Connotation*. Bouba parle à voix basse. Miz Suicide boit son thé avec des grimaces d'extase. J'ouvre la fenêtre. En bas, dans la ruelle, des gosses jouent au hockey. Six garçons, trois filles. Vus d'en haut, ils ont l'air trapus. La grande fille paraît, elle, assez forte, mais on peut dire que la petite n'est pas encore en âge de participer au jeu. Tout ce qu'elle fait, c'est essayer de retenir son chien pour qu'il n'aille pas déranger le jeu. Le chien est bien plus fort qu'elle. Il la tire. Elle résiste un temps, et finit par lâcher la bride. Alors, le chien, libre, file et s'empare de la rondelle devant les bâtons de hockey.

Ensuite, selon un rituel préétabli, le chien revient déposer la rondelle sur les genoux de la petite. Il pose la tête sur sa robe en geignant. Les joueurs, fâchés, reprennent tout de suite la rondelle. La petite fille réprimande alors le chien qui n'arrête plus de gémir. La petite fille le caresse. Le chien fait le doux une minute ou deux avant de filer brouiller le jeu à nouveau. Il fait moins clair. Le jeu ralentit. On traîne. La Croix du mont Royal est phosphorescente.

Coleman, face B. Je suis devant la machine depuis dix minutes et j'essaie de soutirer quelque chose à cette fameuse Remington 22 qui a tout de même appartenu à Chester Himes. Bouba et Miz Suicide continuent leur dialogue intemporel. Je cherche l'inspiration en observant un cafard se débattant dans l'évier (« La vue ne saurait l'atteindre ; lui, il atteint la vue, le Subtil, l'Instruit »).

La musique de Coleman accompagne cette bestiole dans la mort. Belzébuth, là-haut, ne nous pardonnera pas ce nouveau meurtre. Miz Suicide se lève pour son thé et fait partir l'eau. L'Ange de la mort.

Bouba est assis, torse nu, sur le Divan.

— Connais-tu Papini ?

— Non, répond Miz Suicide.

— Papini, finit par dire Bouba, a très intelligemment écrit sur le suicide.

— Qu'a-t-il écrit ?

Miz Suicide ne s'intéresse qu'aux sujets qui traitent de la mort.

— Vois-tu, dit Bouba, Papini est un écrivain italien, un homme fortement désabusé. Dans un de ses livres, il raconte l'histoire d'un Allemand qui cherche à se suicider.

Miz Suicide écoute comme une bodhisattva accomplie.

— Eh bien, murmure Bouba, cet homme doux et civilisé cherche un moyen courtois pour se suicider.

— Et l'a-t-il trouvé ?

— Il analyse plusieurs manières. Toutes lui paraissent brutales, stupides ou vulgaires, sauf une…

— Oui…

Miz Suicide n'en peut plus de ce suspense.

— Celle-là. Il décide de se laisser dépérir physiquement et moralement, jour après jour.

— Mais il y a des millions de gens à qui ça arrive.

— La différence, c'est que, lui, il le fait méthodiquement.

Un ange noir passe. Miz Suicide secoue la tête. Bouba sourit doucement. On entend Coleman. Un temps. Miz Suicide achève son dernier thé et, sans un mot, ramasse ses cliques puis part.

— Tu penses que cette coquille vide a compris ton Sermon de la Montagne, Bouddha de mes fesses ? dis-je un peu plus tard.

— Ben… oui.

— T'as pas peur qu'elle se balance une bonne fois ?

— Au contraire, Vieux, c'est ce qui la tient en vie.

— Et toi, ça te permet de jouer au Bouddha nègre.

Bouba éclate de son rire fracassant.

— Dis-moi à quoi tu joues avec cette horreur aussi sexy qu'un pou ?

— La charité, Vieux, tu ne connais pas ça.

— Et toi, Bouddha de mon cul, tu ne connais pas le bouddhisme.

— Comment ça ?

— Eh bien, frère, le Sutra du Diamant dit : « La Charité n'est qu'un mot. »

Bouba éclate une nouvelle fois de son déroutant rire jazz (long hurlement traversé de hoquets).

— Au diable, le Sutra du Diamant, aucun Sutra ne tient devant le Bouddha.

XIII

Un bouquet de lilas ruisselant de pluie

Trois discrets petits coups contre la porte.

— On peut entrer ?

— Si vous apportez de l'argent en espèces son-
nantes et trébuchantes, sinon passez votre chemin.

— Nous apportons des fleurs.

Un éclat de rire frais suit cette réplique et les
deux jeunes filles entrent, chacune un bouquet à la
main. Bouba boit depuis quelques heures, les
jambes ramassées sous sa poitrine. Dans la position
du fœtus. Valérie Miller est allée directement vers
le Divan avec un grand bouquet de lilas ruisselant de pluie. Miz Littérature a mis ses fleurs dans
un vase qu'elle a placé sur un coin de la fenêtre.
Elle me regarde taper un moment. Valérie Miller
porte une robe jaune et verte dans le style de Sonia
Delaunay.

— Qu'est-ce que tu écris là ?

— Un roman.

— Un roman !

— Au fond, des fantasmes.

— Des fantasmes !

Le mot fantasme a un tel succès en Occident qu'il pourrait déclencher une guerre atomique.

Par la fenêtre, je vois tomber, finement, une pluie oblique. Pas assez d'eau pour rafraîchir l'air.

Je regarde Valérie Miller, et elle semble très à l'aise ici. Elle est debout à la fenêtre, à regarder la Croix. Même cette saloperie de Croix a l'air de s'humaniser un peu, rien qu'à la vue de Valérie. C'est une beauté à vous couper le souffle, Valérie. Tant qu'elle sera vivante, la guerre atomique n'aura pas lieu. Même la bombe sera gentille avec elle.

Miz Littérature n'est pas mal, non plus. Mais Valérie Miller est un événement. Elle se déplace dans la pièce, naturellement. Comme si c'était un acte normal. C'est le Vésuve chez soi, Belzébuth, là-haut, n'a qu'à se rhabiller.

Miz Littérature regarde mes bouquins.

— Tu n'as pas beaucoup de femmes dans ta collection !

C'est dit gentiment, mais ce genre de remarque peut cacher la plus terrible condamnation.

— Oui, c'est vrai. Il y a toujours Marguerite Yourcenar.

Yourcenar, paraît-il, ne peut pas me dédouaner. Trop suspecte. Je n'ai pas de Colette, ni de Virginia Woolf (impardonnable, même pas un Marie-

Claire Blais).

— J'ai des poèmes d'Erica Jong.

— Vraiment !

Le visage de Valérie s'est illuminé. Le Vésuve en activité. Valérie a illustré son recueil, l'année dernière. Par chance, le livre traîne sur la table.

Joue contre joue. Dans un tango immobile. Les yeux fermés, elles hurlent (en chœur) le poème « Non, Sylvia Plath n'est pas morte ».

« Pas morte, non Alvarez a menti, mes sœurs, en disant qu'elle n'aimait d'amour que la mort ; et Hugues aussi, son bel et ténébreux mari ; et jusqu'aux éditeurs Harper & Row (oui, même eux ont menti je le dis à mon grand regret). »

Miz Littérature veut s'arrêter pour boire un peu avant de continuer. Elle se verse une bonne rasade de vin qu'elle avale d'un coup avant de reprendre le poème. Valérie attendait comme un sprinter au départ du cent mètres.

« Oh, non ! pas morte. On n'entendra qu'un mannequin de cire. Non, en Argentine Sylvia Plath n'est pas morte. Elle fait de longues parties d'échecs en compagnie de Diane Arbus dont l'œil se nourrissait de grotesque et de monstres.

Elle échange avec Marilyn
des comprimés de somnifère

et dans le noir comme une enfant
elle rit avec Zelda Sayre. »

Et le finale (verres levés).

« Ah ! le vrai, le beau dortoir de filles
que c'est là-bas
en Argentine ! »

Les filles, parties. Je suis resté seul dans le noir.
Je n'ai pas vu la nuit venir. Un croissant de lune,
en chapeau, derrière la Croix. Les phares des voitures sous la pluie. La chaussée mouillée. Les
lumières des maisons s'allumant au fur et à mesure
que celles des immeubles à bureaux s'éteignent. J'ai
le cafard. Un cafard chic.
Bouba a l'air de quoi, couché ainsi, la bouche
ouverte, les bras en croix et un bouquet de lilas
entre les bras…
Ah ! le vrai, le beau dortoir de Nègres qu'il y a
là-bas chez les filles.

XIV

Comme une fleur
au bout de ma pine nègre

Notre dernier grand repas avant l'explosion nucléaire, nous l'avons pris en compagnie d'une fille de Sir George William's University. Menu : riz blanc, vin blanc et Duke. Duke Ellington. The Duke.

— Ah ! j'adore le jazz, attaque-t-elle.

— Vraiment ?

— Je trouve ça vivant.

Bouba pose les chaudrons sur d'anciens numéros du *National Geographic* achetés à cette fin au Palais du Livre. Miz Sophisticated Lady (c'est ainsi que Bouba l'a surnommée, en hommage à Duke) suit un régime minceur assez sévère. Dire qu'elle est à la fois anglaise et disciplinée est un pléonasme inutile dans la bouche d'un Nègre. Le vin lui est tout de suite monté à la tête. Et elle envoie tout de go promener son régime. Une demi-heure après le repas, je l'ai vue sortir, subrepticement, un petit livre en cuir brun de son sac Gucci.

— C'est le livre de Mao.

— Non.

— Je parie, dis-je, que c'est un livre de prières orientales.

— Non (sèchement).

— Attends, ça ne peut être que la *Bhagavad-Gita* ?

— Tu n'y es pas.

— Alors, c'est une version abrégée du *Kamasutra*.

— Désolée (avec un sourire au coin des lèvres), c'est tout simplement un livre indiquant le nombre de calories.

— Tu veux savoir le compte d'hydrocarbures que tu bouffes ?

— Si tu veux.

Elle a souri.

— Je peux voir ?

Elle me passe, finalement, le livre avec la même spontanéité que si je lui avais demandé de me prêter sa brosse à dents. Je veux avoir un compte exact des calories et sels minéraux qui peuplent le monde noir. Riz avec crevettes : 402 ; riz frit avec porc : 425 ; riz avec poulet : 425. On tient le coup. Riz partout. Je ne pourrai jamais partager le destin d'une civilisation qui ostracise le riz. De toute façon, je ne pourrai, en aucun cas, faire confiance à des gens qui croient le yogourt supérieur au riz. Le goût du riz dépasse les plus sublimes élévations de l'âme. C'est une des formes de bonheur noir. Le paradis nègre retrouvé. La Terre Blanche (et farineuse) promise depuis le premier contrat de la Traite des Nègres. Existe-t-il une psychanalyse possible de l'âme nègre? N'est-ce pas, véritablement, le « Continent noir »? Je vous pose la question, Dr Freud. Qui pourrait comprendre le déchirement du Nègre qui veut à tout prix devenir Blanc, sans couper avec ses racines? Connaissez-vous un Blanc qui désire, ainsi, de but en blanc, devenir Nègre? Peut-être y en a-t-il mais c'est à cause du rythme, du jazz, de la blancheur des dents, du bronzage éternel, du fun noir, du rire aigu. Je parle d'un Blanc qui voudrait être Noir, juste comme ça. Moi, je voudrais être Blanc. Bon, disons que je ne suis pas totalement désintéressé. Je voudrais être un Blanc amélioré. Un Blanc sans le complexe d'Œdipe. D'ailleurs à quoi ça sert vraiment le complexe d'Œdipe puisqu'on ne peut pas le manger, ni le vendre, ni le boire, ni l'échanger contre un billet aller-retour Montréal-Tokyo? Ni même baiser avec (ça, peut-être). Si je deviens subitement Blanc, là, juste en le souhaitant, que se passera-t-il? Je ne le sais pas. La question est trop grave pour faire des suppositions. Je verrai les Noirs dans les rues et je saurai à quoi ils pensent quand ils regardent un Blanc. Je n'aimerais surtout pas que quelqu'un me regarde avec une telle convoitise dans les yeux.

Bouba est allé faire un tour sur le mont Royal. C'est sa journée de sortie. Nue, Miz Sophisticated Lady est bien mieux que tout ce que j'avais imaginé. Elle a une sexualité délirante qui contraste merveilleusement avec son allure guindée. Faut la baiser vicieusement. Elle se met volontiers à quatre pattes et, là, je la prends calmement. À mon rythme. Elle n'arrête pas d'exiger des trucs cochons et dans la bouche de Miz Sophisticated Lady, c'est joliment pervers. J'y vais comme au ralenti. C'est un ticket pour l'éternité. Je la prends par-derrière et elle hurle. Des cris aigus, un peu excentriques. Une baise à la fois nerveuse et sûre. Le truc qu'elle semble privilégier n'est pas particulièrement difficile. Faut la pénétrer violemment, presque au sang, pour ensuite se retirer tout doucement. Élémentaire, oui. Mais pour une fille bien de Sir George William's, c'est tout de même étonnant. Comme quoi à la regarder si bien mise, on n'imaginerait pas le petit animal vorace et insatiable niché au cœur de son vagin. Je sens mes jambes trembloter, ma nuque devenir raide. Le cri lové quelque part dans mon duodénum. Le cœur de mon sexe jubile comme un poisson hors de l'eau. Le Coran dit : « Dis-tu la vérité ou plaisantes-tu ? » (Sourate XXI, 56.) Je l'entraîne jusqu'au lit sans vraiment arrêter de baiser, la tenant pour ainsi dire au bout de ma pine. Comme une fleur au bout de ma pine nègre. La fenêtre encore ouverte sur la Croix du mont Royal. Miz Sophisticated Lady est couchée sur le dos. Offerte. Toute molle et humide. Dieu ! cette fille judéo-chrétienne, c'est mon Afrique à moi. Une fille née pour le pouvoir. En tout cas, qu'est-ce qu'elle fait ainsi au bout de ma pine nègre ? Ça ruisselle entre ses cuisses blanches. Ses yeux sont tournés vers l'intérieur (elle me rappelle cette image de mon enfance d'une sainte Thérèse de Lisieux en extase). Son cou cassé repose sur mon épaule gauche (« Son bras gauche est sous ma tête et sa droite m'étreint », *Le Cantique des Cantiques*). Pas un cri. Communication non verbale. Baiser. Baiser. Baiser. Je ralentis doucement le rythme. Elle commence à râler tout en marmonnant une sourate personnelle. Je ne parviens pas à comprendre cet espéranto animal et vicieux. J'approche mon oreille de sa bouche. « Baisemoi baisemoi baisemoi baisemoi baisemoi baisemoi baisemoi baisemoi baisemoi baisemoi… » Oh ! j'arrive. J'arrive, moi, d'abord avec une combinaison de passes rapides (un deuxun deux trois-un deux) avant d'achever avec un direct à bout portant. Le souffle coupé. Elle relève vivement son torse pour retomber du même élan sur le lit, secouée de spasmes. J'y vais alors profondément et lentement. Je veux baiser son inconscient. C'est un travail délicat qui demande un infini doigté. Vous pensez : baiser l'inconscient d'une fille de Westmount ! Je regarde du coin de l'œil mes cuisses huilées (à la noix de coco) le long de ce corps blanc. Je prends fermement ses seins blancs. Le léger duvet sur le ventre blanc (marbre). Je veux baiser son identité. Pousser le débat racial jusque dans ses entrailles. Es-tu un Nègre ? Es-tu une Blanche ? Je te baise. Tu me baises. Je ne sais pas à quoi tu penses au fond de toi quand tu baises avec un Nègre. Je voudrais te rendre, là, à ma merci. Mouvement lent du bassin. Presque monotone. Changements de rythme à peine perceptibles. Et toi ? Tu es là en pleine concentration métaphysique et je ne sais pas à quoi tu penses. Je sais pourtant qu'il n'y a pas de sexualité sans fantasmes. Tu sembles morte. À peine bouges-tu. Es-tu indifférente ? Cela vient-il du plus profond de ton être ? Mon sexe célèbre ces poils dorés, ce clitoris rose, ce vagin interdit, ce ventre blanc, ce cou ployé, cette bouche anglo-saxonne. Atteindre ton âme wasp. Baise métaphysique. Vapeurs mystiques. Tout semble se passer dans une certaine irréalité. Tu es là, couchée, avec le visage d'Ophélie. Tu t'éloignes petit à petit de la matière. Je vais me retirer de ce corps inerte, imbaisable, indifférent. Je me retire lentement. Quel est ce cri ? D'où vient-il ? C'est le cri du vagin soi-même. J'entends sa voix : « Oui oui oui oui oui oui oui oui oui oui ouiiiiiiiiiiiiiiiiiiiiii. » Cri tendu, en contre-ut, aigu, soutenu, inhumain, tantôt allegro, tantôt andante, tantôt pianissimo, cri interminable, inconsolable, électronique, asexué, me rappelant modulation pour modulation ce cri primal venu de la chambre de Belzébuth, là-haut.

Duke Ellington achève *Hot in Harlem*. Miz Sophisticated Lady dort depuis un moment. Je m'assois pour écrire. La Remington semble de bonne humeur. Je tape comme un dingue. Ça crépite dans la nuit. Les phrases fusent à toute allure. Je ris. Je suis nu. Le sexe encore huilé. Mon corps parfumé de toutes les odeurs de Miz Sophisti-cated Lady. J'écris. Je suis heureux. Je le sais.

Une heure plus tard. Au milieu de la nuit.

— Hé ! Réveille-toi !

Miz Sophisticated Lady me réveille ainsi en pleine nuit.

— Hé !

— Quoi ? Qu'est-ce qu'il y a ?

— Il y a des souris ici.

Je me frotte les yeux.

— Ben non, il n'y a pas de souris.

Je me recouche.

Dix minutes plus tard.

— Hé !

— Qu'est-ce qui se passe ?

— Des souris !

— Ah ! merde.

— Je suis sûre qu'il y a des souris ici.

— Dans l'immeuble ?

— Dans cette pièce.

Elle est assise, en lotus, sur le lit. Le cou dégagé. La tête en vigile. Les yeux effrayés. Elle s'attend résolument à voir surgir à tout moment dans la pièce une famille monoparentale de souris.

— Écoute, je n'entends rien.

— Je les ai entendues, moi.

Je reste fasciné par ces cils qui bougent à une vitesse infernale (8 000 battements par minute). Si rien ne vient changer le cours des choses, elle entrera en transes (boudham saranam gacchami) et atteindra aisément ainsi le centre de pureté de Tathagata, là où aucune souris ne peut accéder.

— Je vais voir, dit-elle, décidée.

Ça me semble être la plus grande décision de sa vie. Je l'entends allumer la lumière de la salle

de bains. Qu'est-ce qu'une souris peut bien repré-
senter comme danger pour une forte fille de
Westmount ? Si une minuscule souris la panique
tant, que dire d'un Nègre alors ? Ce n'est pas tant
baiser avec un Nègre qui peut terrifier. Le pire, c'est
dormir avec lui. Dormir, c'est se livrer totalement.
C'est le plus que nu. Nu plus. Qu'est-ce qui peut
bien se passer durant la nuit, pendant le sommeil ?
Peut-on rêver l'autre ? Peut-on pénétrer le rêve
de l'autre ? L'Occident dit : territoire inconnu.
Attention : danger. Danger d'osmose. Danger de
véritable communication. Ce qui était une simple
baise érotique pourrait bien devenir… On a déjà
vu des jeunes filles blanches, anglo-saxonnes, pro-
testantes, dormir avec un Nègre et se réveiller le
lendemain sous un baobab, en pleine brousse, à discuter des affaires du clan avec les femmes du village.
D'ailleurs, la fille d'un des présidents de Canadian Pacific a déjà couché avec un Nègre sur le
mont Royal, en plein été, au vu de tout le monde,
et plus personne ne l'a jamais revue. La fille du
directeur de la programmation à Radio-Canada
vend des paniers d'osier et des filets de pêche dans
un petit village de Casamance. La femme d'un
membre du conseil d'administration de l'université McGill ramasse des arachides au Sénégal. Il y
a plein de cas de ce genre. Méfiez-vous. Baiser avec

un Nègre, c'est bien (c'est même recommandé), mais dormir avec… Je vois bien Miz Sophisticated Lady courir derrière une antilope, préparer le manioc pour faire la cassave et servir le thé aux veillées funéraires. La publicité dit : « Baiser avec un Nègre pour se réveiller au pays dogon. » Et d'ailleurs, que fait Miz Sophisticated Lady dans le noir avec ce Nègre ? Elle cherche la souris. Je me rendors, de guerre lasse, la laissant à sa chasse. Je pénètre, doucement, dans le sommeil. Au ralenti. J'entends très nettement Duke Ellington jouer *The Soda Fountain Rag*. Ce rag rappelle au Duke le bon vieux temps du Poodle Dog Café. Duke joue ce truc marrant avec des types qui font craquer. Edison et Cootie Williams à la clarinette (on ne peut demander mieux), Bubber Miley et Stewart effleurant la trompette du bout des lèvres comme si ça ne leur disait rien, mais Dieu ! quel swing ! Al Sears, le grand Al, au sax. Brand à la basse (tu imagines ça d'ici, coco) et Sonny Greer à la batterie. Avec une formation pareille, tu peux défoncer le plafond. Là-haut, semble-t-il, Belzébuth dort. L'enfer est au repos.

— Hé !

Qu'est-ce que veut dire ce « Hé ! » ? Les filles de Westmount n'ont donc pas d'éducation. Elles ne respectent pas le sommeil des autres. Miz

Sophisticated Lady, paraît-il, a trouvé quelque chose.

C'est Bouba. Bouba dévorant une tête de laitue assis sur le Divan, dans le noir. (Le Coran dit : « Vous mangerez le fruit de Zakoum », Sourate LVI, 52, « et les bananiers chargés de fruits du sommet jusqu'en bas », Sourate LVI, 28.) J'avoue que ça peut impressionner une fille de Westmount. Je n'avais pas entendu Bouba rentrer. Il a dû le faire sans bruit. Et comme Bouba mange n'importe quoi à n'importe quelle heure, il a dû ouvrir le réfrigérateur avec une fringale à son talon et ne trouver que cette laitue. Il a dû la manger sans bruit. Mais l'ouïe fine de Miz Sophisticated Lady a nettement perçu le bruit des incisives grignotant. Voilà Miz Sophisticated Lady qui tombe sur Bouba en train de dévorer une laitue dans le noir.

« Je ne comprends pas », fut son unique commentaire.

Elle ne comprend pas.

— C'est pas facile.

— Je n'arrive pas à concevoir une chose pareille.

Elle n'arrive pas à concevoir une telle chose.

— C'est comme ça.

— Peux-tu m'expliquer ?

— Ça peut attendre à demain ?

C'est comme si je venais de refuser mon aide

à un noyé. Comment lui dire que ce jeune homme inquiet et cultivé avec qui elle a bavardé tout l'après-midi nourrit dans son âme secrète une abominable rancœur contre le lait, le steak, le fromage, les œufs («Ô croyants! n'interdisez point l'usage des biens délicieux qu'Allah a déclarés licites pour vous», Sourate V, 89). Pourra-t-elle me croire? Du moins, me comprendre? C'est une affaire qui remonte à l'âge fœtal du Nègre. Ces éléments nourriciers sont et seront jusqu'à la fin pour Bouba des diablotins malfaisants qui entendent le réduire à sa merci. Bouba est un homme courageux qui mène, ici même, un combat de tous les instants. Contre les forces obscures de la misère la plus noire. Il sait qu'il a perdu d'avance. Il porte, sur tout le corps, des cicatrices. Des blessures, encore sanglantes parfois. Des coups dont on ne revient pas. Mais toutes les nuits (comme cette nuit), il n'en continue pas moins à ferrailler pied à pied avec l'hydre de l'intestin.

Là, j'ai mis le paquet. J'éprouve déjà du remords pour avoir tenté d'expliquer un truc joliment privé à une fille de Sir George William's University qui pratique le régime minceur Scarsdale depuis l'âge pubère. Elle essaie de m'expliquer que l'Être doit posséder une autre destinée que celle d'avaler des hydrocarbures. Pour le Nègre affamé, l'Être hégélien est une des plus sinistres plaisanteries judéo-chrétiennes.

The Cotton Club Orchestra attaque *Mood Indigo*. J'entends Bouba siffler dans le noir. Miz Sophisticated Lady est assise sur le lit dans la position du bipède supérieur. Droite, fière, pathétique. Miz S. L. crève, littéralement, d'indignation. Je ne peux pas dire à quel moment exactement j'ai commis la gaffe. Gaffe monumentale. Irréparable. Ça doit être lorsque je lui ai dit que les Nègres sont encore à l'âge de la boustifaille et que manger un bol de riz leur est quelquefois préférable aux mystères de l'amour. Normalement, ce serait aux Nègres de se vexer, de s'indigner d'être encore dans une situation aussi terrible. En aucun cas, il n'y a lieu pour une Anglaise de se vexer. D'ailleurs, comparer une fille de Westmount à un bol de riz est une réflexion philosophique au-dessus de mes forces. Mao n'a pas fait la révolution pour que chaque Chinois puisse disposer d'une Chinoise mais plutôt pour que chaque Chinois et chaque Chinoise puissent disposer d'un bol de riz par jour. Donc, pour une Chinoise ou un Chinois, le riz est une chose sacrée. Alors que pour Miz Sophisticated Lady, un bol de riz est un bol de riz. Elle refuse même que je sorte avec elle chercher un taxi. L'orgueil des maîtres du monde. Elle part, et plus je réfléchis, plus j'ai tendance à croire qu'il s'agit moins d'une affaire de riz que d'un vieux malentendu historique, irréparable, complet, définitif, un malentendu de race, de caste, de classe, de sexe, de peuple et de religion.

Bouba rassemble calmement, dans sa paume creuse, les petits os de poulet qui traînaient sur la table. Je m'installe sur le Divan avec un bouquin de Borges et, trente secondes plus tard, les premières notes de *Take the « A » Train* remplissent la pièce. La musique s'insinue dans mon corps, me catapultant dans cette jungle sonore d'une moiteur tropicale, sous l'œil ringard du vieux Duke. Bouba battant la mesure avec deux baguettes de riz chinois.

— T'entends ça, Vieux ?

— J'entends.

— *Hot and Bothered*, ça te plaît ?

— Ça va.

— Avoue que c'est génial, que t'as jamais entendu rien de pareil de ta saleté de vie.

— J'avoue.

— Et là, poursuit Bouba, Stravinsky n'y a vu que du feu.

— C'était quoi, ça ?

— Hé! T'as pas reconnu?

— Non.

— *Sophisticated Lady*, Vieux, du pur *symphonic jazz*.

XV

« Nous voici Nègres métropolitains * »*

Bistrot à Jojo. Midi. Température douce. Nous
sommes assis à l'arrière. Dans la pénombre d'une
lumière tamisée. Fauteuils confortables. Bruits
sourds. Bar cossu. Nous commandons des zombies.
L'homme assis en face de moi est un Ivoirien. Il vit à
Montréal depuis quinze ans. Il a connu octobre 70.

— Et comment ça s'est passé ?

— Octobre 70 ?

— Non, je veux pas parler de ça.

— Tu veux dire « la dégringolade ».

— C'est bien ça.

Il prend une longue respiration.

— Tu sais, mon frère, il fut un temps où le
Nègre voulait dire quelque chose, ici. On ramas-
sait les filles comme ça (claquement de doigts).

Un ange nègre passe dans le champ.

Il me regarde avec ce visage parcheminé de vieux
sage délirant sous le baobab, un soir de pleine lune.

---

* Émile Ollivier. (N.d.A.)

— Oui, mon frère, c'était l'âge d'or nègre.

L'âge d'ivoire, plutôt.

Le garçon arrive, enfin, avec la commande. Gros pourboire.

— Très important, le pourboire, frère, c'est ton respect, ta dignité, ta survie.

L'homme a l'air désabusé. On dirait qu'il a, depuis longtemps, lâché prise. Et qu'il n'arrête pas de tomber. En chute libre.

Je relance la conversation.

— Quel pourcentage ?

— Les pourboires ?

— Les filles.

— Bof, un Nègre pour six Blanches. Et retenez, frère, je parle d'un Nègre de taille moyenne et d'appétit ordinaire. Dans les petites villes, on faisait choux et rave. C'était le bon temps, frère, tu peux le dire.

Un grand Sénégalais (2,09 mètres) traverse tout le bistrot pour venir nous saluer.

— Salut, frères.

— Salut, frère.

Nouvelle commande. Trois bières, cette fois. Le Sénégalais long comme un bambou dans son boubou.

Il s'assoit.

Long silence.

On boit. Commande. Trois autres bières.

— Combien tu me donnes ?

— Comment ça ! Ton âge ?

— Pas ça, frère, j'suis pas pédé.

Il me montre une touffe de cheveux blancs au milieu de sa tête. Comme un pompon.

— Combien ? me redemande-t-il avec insistance.

Je ne comprends toujours pas.

L'Ivoirien, jusque-là impassible, consent à traduire.

— Il veut savoir combien d'hivers tu lui donnes.

— Dix, dis-je, évitant de le froisser.

Il éclate d'un énorme éclat de rire.

— Vingt, frère. On est brûlé à l'intérieur. La glace brûle tout, frère. Après vingt ans ici, frère, on devient cendre. Regarde ce type qui arrive. Il a l'air costaud, hum… tu n'as qu'à souffler dessus.

En effet, un type vient d'arriver en coup de vent. Il a l'air furieux. Il s'assoit et commande au garçon une bière et un paquet de Gitanes.

— Tu sais, dit-il après avoir écouté un moment notre conversation, je ne peux plus entendre parler de Blanches.

— Qu'est-ce qui s'est passé ?

— Nous autres, Nègres, poursuit-il, nous avons plutôt besoin qu'on nous foute la paix.

— Bien sûr, dis-je.

Les autres hochent la tête.

— Moi, précise-t-il, qu'on m'adore ou qu'on me vomisse, j'en ai rien à cirer. C'est la même saloperie. La même hypocrisie. Marre, j'en ai marre, frère.

Grave silence. Après avoir bu, l'homme, qui secoue la tête et sourit tristement, parle de nouveau.

— Figure-toi, frère, j'ai rencontré une fille, ici même, dans ce bistrot. On prend un verre. On change de bar. J'habite dans le coin. Bref, la méthode classique. Je l'emmène chez moi. Deux jours inoubliables. Elle mange épicé. Très bien. Elle baise raide. Encore mieux. Ça va comme je veux. Sur des roulettes. Je la laisse partir. Du laisse, quoi! Elle devait aller faire du canotage avec sa famille. J'aime ça, les gens qui ont le sens de la famille. Elle me jure qu'elle n'aime que moi. Je ne lui avais rien demandé. Elle part. Pas un téléphone. Rien. J'attends. Plus de nouvelles d'elle. Trois mois plus tard, je la rencontre sur la rue Saint-Denis. «Oh! salut. – Salut», répond-elle. «Tu ne m'as pas téléphoné?» Elle n'a pas pu. Pas eu le temps. En trois mois. Imaginez tout ce que cette fille m'a dit quand je la baisais. «Et qu'est-ce que tu faisais qui t'a pris tout ton temps ainsi? – J'ai appris à jouer du conga. Il est merveilleux. Tu le connais, peut-être.

C'est un sage. Il m'apprend plein de secrets. Il vit couché sur un Divan. C'est le plus grand sorcier de Montréal. »

L'homme me regarde, après confession, avec ses petits yeux en lame de rasoir. Moi, je crois connaître ce grand sorcier qui vit sur un Divan, mais je ne savais pas que sa réputation avait passé les frontières du Carré Saint-Louis.

XVI

Un jeune écrivain noir
de Montréal vient d'envoyer
James Baldwin se rhabiller

Le bouquet de pivoines dort à côté de la vieille Remington. C'est un sale dimanche. Terne, gris, mouillé. Je me sens vidé. Bouba boit du thé chaud, allongé sur le Divan. Ella Fitzgerald chante doucement *Lullaby of Birdland*.

— T'as pas l'air d'aller, Vieux?

— Ça va, dis-je avec un mince filet de voix, ça va.

— Tu dis ça sur un ton.

— Comme ça.

— Veux-tu une tasse?

— OK.

Bon thé chaud.

— C'est à cause du bouquin?

— Ououi…

— C'était donc ça.

— C'est le vase. Je n'arrive à rien.

— Tu devrais aller faire un tour.

— Ça fait la dixième fois que tu me conseilles ça, Bouba.

— Tu sais quoi, Vieux?

— Hein?

— Je voulais te le dire avant. Tu penses trop, c'est ça ton problème.

— Je sais.

Billie Holiday chante, toutes tripes dehors, cette complainte sur le lynchage, *Strange Fruit*, et ça me donne brusquement un cafard fou.

Miz Littérature est arrivée, il y a quelques minutes. Elle se tient derrière ma chaise.

— Vas-tu travailler encore longtemps?

— Peut-être...

— Penses-tu en tirer quelque chose?

— J'sais pas.

— Si je peux t'aider de quelque manière...

— Malheureusement, non, c'est le genre de truc qu'il faut faire soi-même.

Miz Littérature revient à la charge, une demi-heure plus tard.

— Cool, brother.

— Ça alors! depuis quand les filles d'Outremont parlent-elles comme ça?

— Disons depuis qu'elles fréquentent des Nègres.

— C'est pas clair. Il faut dire depuis qu'elles baisent avec des Nègres.

— Tu es pauvre, Nègre et génial, c'est bien ça ?

— Toi, t'es juste riche, c'est bien ça ?

— Pas juste riche puisque je baise avec un Nègre, pauvre et génial.

— Hé ! t'es pas trop esquintée pour une fille d'Outremont.

— Qu'est-ce que t'as contre les riches ?

— Qu'est-ce que j'ai contre les riches ? Eh bien, je crève de jalousie, je meurs d'envie. Je veux être riche et célèbre.

— Je te prends au sérieux, tu sais ?

— C'est la seule chose sérieuse que j'ai dite depuis des lunes.

— Donc, tu veux devenir le meilleur écrivain Nègre ?

— C'est ça. Meilleur que Dick Wright.

— Meilleur que Chester Himes ?

— Meilleur que Chester.

— Meilleur que James Baldwin ?

— Oh ! celui-là est un os dur.

— Meilleur que Baldwin ou pas ?

— Meilleur que Baldwin. Baldwin, joli nom, hein ? Avec *Paradis du Dragueur nègre*, un jeune écrivain noir de Montréal vient d'envoyer James Baldwin se rhabiller.

La pluie a cessé depuis un bon moment. On étouffe ici.

— Si on sortait ?

— Pour aller où ?

— Dehors.

— C'est pas mieux.

— C'est différent.

— Ah ! tu veux changer d'ambiance.

— C'est ça.

Ça pue dans cette pièce, mais Miz Littérature en est arrivée à mieux supporter cette odeur que moi.

— Chaud, hein ?

— Oui très chaud.

— Combien ?

— 90 degrés ou tout près de ça.

— Regarde cette bicyclette.

— Quoi ? Celle-là ?

— Regarde-la bien.

— Pourquoi ?

— Elle va s'évaporer avant d'atteindre Sainte-Catherine.

— T'es dingue ou quoi ! Qu'est-ce que tu racontes là ?

— Regarde pour voir.

— Ooooooooooooooooh !

— Je te l'avais dit.

— Oh! my God. Oh! my God. My God.

— Tu vas pas répéter ça toute la journée.

— Oh! my God.

Nous entrons à la librairie Hachette. Température douce. Foule.

— C'est plein!

— À cause de l'air conditionné. La plupart des gens que tu vois là n'ont aucune intention d'acheter le moindre bouquin. Ils veulent, simplement, profiter de l'air frais.

— Qu'est-ce qu'ils lisent, tous ces gens?

— Cuisine, macramé, diététique, horoscope, canotage, sports. C'est le troupeau de Stanké.

— Et nous?

— Nous, on vole. Quand on pique, il faut être strict et choisir le meilleur produit.

Quand j'ai envie de lire un mauvais livre, je l'achète. Se faire prendre avec un mauvais écrivain sous le bras, tu parles d'une merde.

— Et qu'est-ce qu'on pique?

— Sers-toi.

La dame à la caisse, je l'ai dans la poche. Elle surveille mollement. Faudrait plutôt faire attention au type debout, les mains croisées derrière son dos, près de la collection de poche. C'est le flic maison.

Miz Littérature n'arrête pas de chuchoter. C'est sa manière de paniquer.

— Fais surtout attention aux dames de soixante ans (robes à fleurs, cheveux argentés, mains propres), le respect, quoi! Elles sont capables de te signaler au gérant, juste pour se mettre à la bonne avec le personnel de la librairie. Elles viennent chaque jour ici. Ça leur donne une espèce de légitimité.

Miz Littérature a le feu au corps. C'est la plus grande aventure de sa vie. Le vol. Corrompre une fille d'Outremont, c'est quasiment une B.A.

— Combien en as-tu dans ton sac?

— 5, 6, je ne sais pas.

— Ça suffit pour aujourd'hui. On file. Donne-moi le sac. Va, je te suis. Ne regarde pas vers la caisse. Je m'occupe du reste.

Miz Littérature exulte.

— Tu sais… J'ai fait un vœu.

— C'est quoi?

— Un jour, on viendra piquer ton bouquin, ici. Je ferme les yeux.

Je vois (avec un grain de perversité) une vieille dame glisser dans son sac, sans se faire remarquer: *Paradis du Dragueur nègre*.

XVII

Rythme électronique
pour Miz Orange mécanique
sur fond de conga nègre

Je tourne sur Sainte-Catherine.

— Salut, beau Noir.

Un travesti.

— C'est par où Les Clochards Célestes ?

— Par là, Beauté.

Bouba m'avait laissé un message près de la Remington. Miz Littérature était passée ce midi. Elle m'attend, ce soir, aux Clochards Célestes.

Un escalier coincé comme une échelle de cordage. Deux pièces spacieuses. Un bar. Trois types en chapeau mou, accoudés au bar, en train de regarder une partie de hockey à la télévision. Aucun son. Le poste est juché sur une étagère, à côté d'une énorme bouteille de Budweiser (*This Bud is for you*).

— Une Bud.

Inévitable.

À l'autre bout de la pièce, une trentaine de tables

autour d'une estrade. Les Sénégalais sur la scène. Quatre tambours, deux congas. Rythme sourd et frénétique. Zoom au fond, à droite : Miz Littérature sirotant une boisson verte. Atmosphère électrique. Les corps noirs des Sénégalais luisent dans la pénombre en éclats de magnésium. Une odeur de haschisch flotte, légère et insistante. Je traverse la salle en plein show sénégalais. La sensation moite de ces corps torréfiés en attente d'une pluie de rythmes nagos. L'appel de la brousse, rue Sainte-Catherine. Musique nègre pour danseurs blancs. *Soul on fire*. Haute tension. Miz Littérature bavarde avec une punk. Miz Punk me jette un œil mauvais. Ça joue dur.

Koko, un des musiciens sénégalais, me fait un clin d'œil. Frère. Miz Punk l'a intercepté.

— Tu viens d'où, toi ?

— Harlem.

— Harlem ! J'adore Harlem. Ah bon !...

Miz Punk est survoltée.

— C'est plein de crimes ?

— On fait ce qu'on peut.

— Il paraît que personne ne va au-delà de dix-sept ans ? On meurt avant. Est-ce vrai ?

— Sûr. J'ai quinze ans.

Miz Punk a dix-sept ans. Elle me regarde d'un drôle d'air, essayant de dépister chez moi le fameux *beat* de Harlem. L'instinct de meurtre. Je secoue doucement la tête avec ce regard très Malcolm X.

Les Sénégalais terminent leur show sur un rythme effréné. Ils ramassent leurs instruments (tambours, congas, kora), saluent de la main avant de s'enfoncer dans l'escalier suicidaire, suivis d'une grappe de groupies en boubou. Des Blanches colonisées. Les prêtresses du Temple de la Race. Des droguées de Nègre.

D.J. met un rock dur. Miz Punk bondit sur la piste. Tina Turner. Elle se met à sauter sur place. Tête folle. Derviche. Visage dur, lèvre supérieure fendue par un rasoir, yeux enfoncés, corps disloqué, désarticulé, désaxé, mis en pièces. Elle danse ainsi durant une demi-heure sans s'arrêter. Miz Punk dure plus longtemps que la pile au dessus cuivré (« Tu mourras, ô Muhammad ! et ils mourront aussi », Sourate XXXIX, 31).

On n'a pas tardé à mettre les voiles, Miz Littérature et moi, laissant Miz Punk alias Miz Orange mécanique essayer de crever le plancher des Clochards Célestes. Il pleut. On se réfugie sous le porche du Théâtre du Nouveau Monde, et Miz Littérature m'embrasse à pleine bouche, juste devant l'affiche du *Commis Voyageur* d'Arthur

Miller. On prend l'autobus 129. Miz Littérature a les cheveux mouillés, ce qui ne gâche rien à sa séduction.

— Je ne veux pas de surprise.

— Je te répète pour la centième fois que mes parents sont en Europe. J'ai reçu un télégramme ce matin, tiens, je te le montre.

Miz Littérature farfouille un moment dans son sac pour sortir un petit papier roulé en boule avec lequel elle s'enlève le rouge des lèvres avant de le jeter sous la pluie.

Sa chambre est au premier, en face de celle de sa sœur cadette (une groupie de Roy Orbison). Des posters de Roy partout. Roy au National Art Center. Elle a épinglé une minuscule photo sur l'affiche de Roy qui fait tout le mur de gauche. Sur la photo, on voit deux filles bronzées, seins à l'air, en train de faire du pouce. Ensuite Roy au Peterborough Memorial Center (elle y était avec une certaine Vicky) ; au Lord Beaverbrook Pink (cette fois, elle a écrit sur l'affiche, au feutre noir : « Roy Roy Roy »). Puis, ce fut le concert du Toronto Maxey Hall et de nouveau le Winnipeg Concert Hall (consommation ce soir-là dans la salle de concert : une tonne de marijuana). Au dernier concert, c'était le seizième anniversaire de Vicky.

Cette fois, Vicky a griffonné sur un poster de Roy, au crayon cil : « J'ai envie de me suicider. »

— Ah ! tu regardes les choses de Penny ? C'est ma jeune sœur. Elle est foldingue. Elle fait une tournée, maintenant, avec le groupe Men at Work.

Miz Littérature met un disque de Simon and Garfunkel et file aux toilettes se faire sécher les cheveux. Je suis dans sa chambre. Des coussins, partout. De toutes les couleurs. Héritage des *sit-in* des années 70. Des piles de bouquins par terre, à côté d'un vieux *pick-up* Telefunken. Dans le coin gauche, en face de la porte, un gros coffre à linge en bois de noyer. Des reproductions. Un beau Bruegel. Un Utamaro près de la fenêtre. Un splendide Piranèse, deux estampes de Hokusai, et dans le coin de la bibliothèque (faite de planches souples et de briques rouges), un précieux Holbein. Miz Littérature a placé près de son chevet, sur un mur rose, une grande photo de Virginia Woolf, prise un jour de 1939, par Gisèle Freund, à Monk's House, Rodmell, Sussex.

J'entends, distinctement, l'eau couler du lavabo. Eau intime. Corps mouillé. Être là, ainsi, dans cette douce intimité anglo-saxonne. Grande maison de briques rouges couvertes de lierre. Gazon anglais. Calme victorien. Fauteuils profonds. Daguerréotypes anciens. Objets patinés. Piano noir laqué. Gravures d'époque. Portrait de groupe avec *cooker*. Banquiers (double menton et monocle) jouant au cricket. Portrait de jeunes filles au visage long, fin et maladif. Diplomate en casque colonial en poste à New Delhi. Parfum de Calcutta. Cette maison respire le calme, la tranquillité, l'ordre. L'Ordre de ceux qui ont pillé l'Afrique. L'Angleterre, maîtresse des mers… Tout est, ici, à sa place. Sauf moi. Faut dire que je suis là uniquement pour baiser la fille. Donc, je suis, en quelque sorte, à ma place, moi aussi. Je suis ici pour baiser la fille de ces diplomates pleins de morgue qui nous giflaient à coups de stick. Au fond, je n'étais pas là quand ça se passait, mais que voulez-vous, à défaut de nous être bienveillante, l'Histoire nous sert d'aphrodisiaque.

Miz Littérature est entrée dans la chambre. Fatiguée, mais souriante. Miz Littérature, c'est quelqu'un de bien.

— Sherry ?
— Sherry.
— Et qu'est-ce que tu aimerais écouter ?
— Furey.
— Sherry sur Furey.

XVIII

Une chronique de ma chambre
au 3670, rue Saint-Denis

Bessie Smith (1896-1937), Chattanooga, Tennessee. Pauvre Bessie. *I am so downhearted, heartbroken, too.* Me voici mollement couché au fond d'un fleuve (Mississippi Floods), doucement ballotté par les chants de cueillette du coton. Le Mississippi a inventé le blues. Chaque note contient une goutte d'eau. Et une goutte du sang de Bessie. *When it rained five days and the sky turned dark as night… When it thunders and lightnin' and the wind begins to blow…*

Pauvre Bessie. Pauvre Mississippi. Pauvre fille d'eau. Pauvre Bessie au cœur lynché. Corps noirs ruisselants de sueur, courbés devant la grâce floconneuse du coton. Corps noirs luisants de sensualité et ballottés par le cruel vent du Sud profond. Deux cents ans de désirs entassés, encaissés, empilés et descendant les flots du Mississippi dans la cale des *riverboats*. Désirs noirs obsédés par le corps blanc pubère. Désirs tenus en laisse comme un chien enragé. Désirs crépitants. Désirs de la Blanche.

— Qu'est-ce qui t'arrive, Vieux?

— Quoi?

— T'as peur?

— Peur de quoi?

— T'as peur de la maudite page blanche?

— C'est ça.

— Tords-la, Vieux, prends-la, fais-la gémir, humanise cette saloperie de page blanche.

UNE CHRONIQUE DE MA CHAMBRE AU 3670, RUE SAINT-DENIS (description faite avec l'accord de ma Remington 22).

J'écris: LIT.

Je vois: matelas poisseux, drap crasseux, sommier grinçant, Divan gondolé.

Je pense: dormir (Bouba dort douze heures d'affilée), baiser (Miz Sophisticated Lady), rêvasser au lit (avec Miz Littérature), écrire au lit (le *Paradis du Dragueur nègre*), lire au lit (Miller, Cendrars, Bukowski).

Miller, Cendrars, Bukowski.

Je rêve.

Je suis assis tout seul sur un banc du Carré Saint-Louis. Je regarde sans voir depuis un moment un type assis en face de moi. Il m'accroche par je ne sais quoi. Ce type, je le connais. Je suis sûr d'avoir déjà vu cette tête quelque part. Mais où, bon Dieu ? Ce visage long, plein, raffiné, je le connais bien. Je ne comprends pas que je n'arrive pas à situer cette tête. Ces yeux légèrement bridés, ce crâne sans un poil, ce masque de moine bonze, bon Dieu de merde, c'est Miller. Henry Miller. Henry Miller au Carré Saint-Louis. Je n'en crois pas mes yeux. Miller assis tranquillement à boire une Molson. Comme ça. Henry Miller. Miller, vieille branche. Pas croyable. Je dois rêver. Je délire. Ça doit être la faim. Je me pince. Encore là. Le Miller. Je regarde « sa bouche gourmande de fin gastronome ». Il parle à un type assis tout à côté de lui. Un clochard. Peut-être. Merde… c'est Cendrars. Blaise. Cendrars. Bras Coupé. Je dois être complètement dingue. Miller et Cendrars au Carré Saint-Louis. Juste à côté de moi. Je m'approche. Ils vont s'échapper en fumée. Vapeurs. Non, ils sont encore là, à causer tranquillement. Je peux même les toucher.

— Pousse-toi Miller, que je lui dis.

Cendrars me jette un coup d'œil.

— Salut, Blaise.

Une sirène de police. On ramasse un type en sang. C'est Bukowski.

Bukowski est dans la merde jusqu'au cou.

— Réveille-toi, Vieux, ça fait une heure que tu dors sur la machine, sinon tu vas attraper un torticolis.

— Une heure !

— Montre en main, Vieux.

— Alors, j'aurais rêvé tout ça.

— Qu'est-ce que c'est que ce rêve ?

— Oh ! c'est complètement fou, j'ai rêvé que je bavardais avec tu ne devineras jamais qui ?

— Miller, Cendrars et Bukowski.

— Merde. Comment le sais-tu ?

— Comment, comment je le sais ? C'est écrit, ici, noir sur blanc. Qu'est-ce qui te prend, c'est sûrement toi qui as tapé ça.

— Tapé quoi ?

— Tapé ce passage. Nous sommes deux, ici. Toi et moi. Alors, c'est qui ? Ta Remington, peut-être ?

— Possible. Possible que ce soit ma Remington, Bouba. N'oublie pas que c'est une machine qui a appartenu à Chester Himes.

— T'as besoin de repos, Vieux.

NOUVELLE CHRONIQUE DE MA CHAMBRE AU 3670, RUE SAINT-DENIS (description faite avec l'accord de ma Remington 22).

J'écris : TOILETTES.

Je vois : deux serviettes sales, trois savons, un *after-shave*, deux rubans adhésifs, deux brosses à dents, un tube de déodorant (English Leather), deux tubes de dentifrice Colgate, un flacon d'Alka Seltzer, un rasoir électrique (cadeau de Miz Littérature), deux bouteilles d'Astring-o-Sol, une boîte de Q-tips, une douzaine de préservatifs Shields (*extra sensitive, contoured for better fit, lubrificated*), une boîte de Kotex (laissée ici par une fille de Toronto, Miz Security), une bouteille d'eau de Cologne et un flacon d'aspirine.

Je pense : lire Salinger dans un bain de vapeur avec Miz Littérature et baiser sous la douche avec Miz Sophisticated Lady.

J'écris : RÉFRIGÉRATEUR.

Je vois : une bouteille d'eau, une boîte à moitié vide de pâte de tomate, un pot de relish aux trois quarts vide, un gros fromage oka, deux bouteilles de bière et un sac de carottes.

J'écris : FENÊTRE.

Je vois cette saleté de Croix dans l'encadrement de ma fenêtre.

J'écris : RÉCHAUD À ALCOOL.

Je vois Miz Suicide et Bouba en train de converser à voix basse en buvant du thé de Shanghai.

J'écris : DIVAN.

Je vois ce vieux Divan où Bouba lit Freud en

écoutant du jazz à longueur de journée.

J'écris : JAZZ.

J'écoute Coltrane, Parker, Ellington, Fitzgerald, Smith, Holiday, Art Tatum, Miles Davis, B. B. King, Bix Beiderbecke, Jelly Roll Morton, Armstrong, T. S. Monk, Fats Waller, Lester Young, John Lee Hooker, Coleman Hawkins et Cosy Cole.

J'écris : CAISSE DE BOUQUINS.

Je lis : Hemingway, Miller, Cendrars, Bukowski, Freud, Proust, Cervantes, Borges, Cortázar, Dos Passos, Mishima, Apollinaire, Ducharme, Cohen, Villon, Lévy Beaulieu, Fennario, Himes, Baldwin, Wright, Pavese, Aquin, Quevedo, Ousmane, J. S. Alexis, Roumain, G. Roy, De Quincey, Márquez, Jong, Alejo Carpentier, Atwood, Asturias, Amado, Fuentes, Kerouac, Corso, Handke, Limonov, Yourcenar.

J'écris : MACHINE À ÉCRIRE.

Je vois ma vieille Remington 22 en train de taper tout ça.

XIX

*Miz Snob sur un air d'*India Song

Je suis assis à la terrasse du Faubourg Saint-Denis.
Je bois calmement un mauvais vin en regardant
passer les filles. La fille, à ma droite, lit un bouquin
de Miller. Je me penche pour voir. C'est un ouvrage
que j'aime, *Jours tranquilles à Clichy*. L'été de Miller
à Paris. Il faut lire Miller en été et Ducharme
en hiver, tout seul dans un chalet. Justement, une
fille passe avec, sous le bras, *L'Hiver de force* de
Ducharme, qui vient de paraître chez Gallimard.
Tout le monde actuellement se l'arrache. On se
rappelle l'été où Truman Capote avait lancé la
mode du *Petit déjeuner chez Tiffany* ; tous les
garçons de café de Manhattan lisaient ce livre.

Miz Littérature m'attend Aux Beaux Esprits, un
bar très sombre décoré de plantes exotiques. Des
rhododendrons (feuillage noir avec une torche
rose), des saxifragacées, des cactus, des agapanthes,
des zingibéracées, des cactacées. Un joyeux fouillis.
Il faut presque un coupe-coupe pour s'y frayer un
chemin.

Je jette d'abord un coup d'œil. Le bar est presque désert. Deux filles, plutôt excentriques, bavardent à l'entrée en fumant des cigarettes égyptiennes.

— Tu viens d'où ? me demande brutalement la fille qui accompagne Miz Littérature.

À chaque fois qu'on me pose ce genre de question, comme ça, sans prévenir, sans qu'il ait été question, auparavant, du *National Geographic*, je sens monter en moi un irrésistible désir de meurtre. Je la regarde dans sa jupe en tweed assortie d'un corsage blanc en tissu très fin. Il n'y a rien à faire, c'est une snob. Miz Snob.

— Tu viens de quel pays ? me redemande-t-elle.

— Le jeudi soir, je viens de Madagascar.

Le garçon arrive avec ses cheveux blonds et son visage botticellien.

— Un xérès, fait Miz Snob.

Un kir pour Miz Littérature.

Un screwdriver pour moi.

Lorsqu'on veut être traité avec un minimum d'humanité, il faut éviter, dans ce genre de boîte, de commander de la bière.

Le barman est habillé à la mode du jour. Il circule sans arrêt d'un bout à l'autre du comptoir qui doit bien faire sept mètres. Son visage blanc bouge sans cesse comme une poupée mécanique sur fond de briques rouges. Poupée Mécanique plonge comme un pêcheur d'huîtres sous le comptoir du bar pour ramener le jus d'orange qu'il verse dans un verre à long col (avec un quart de vodka), le tout en huit secondes trois dixièmes. Sous le regard imperturbable de deux masques du Bénin.

Marguerite Duras passe à la cinémathèque, cette semaine. Miz Snob s'est tapé deux films, cet aprèsmidi.

— T'as vu *India Song*? me demande Miz Littérature.

— Superbe, répond, à ma place, Miz Snob.

Nous replongeons dans nos verres respectifs. Miz Littérature revient à la charge, cinq minutes plus tard. Elle veut faire savoir à Miz Snob que son mec n'est pas un demeuré.

— T'as vu *Hiroshima mon amour*? me demande-t-elle comme pour me permettre de me reprendre.

— Non, dis-je.

Bon, ce Nègre est un demeuré.

— Juste quelques *rushes*, ajouté-je, par pitié pour Miz Littérature.

— *Rushes!* rugit Miz Snob.

D'un air 48 % baba cool, 12 % Black Panther, 9,5 % blasé, et 0,5 % sexy, je lâche :

— C'est Patrick Straram le bison ravi qui avait

organisé une projection privée lors du dernier passage de M. D. à Montréal.

— Tu lui as parlé ?

— À qui ?

— Tu as parlé à Marguerite Duras ?

Aucune retenue, les filles de McGill !

— Pas vraiment. On a surtout parlé d'*India Song*.

— Oh ! qu'est-ce qu'elle a dit ?

— À peu près tout ce qu'on dit dans ces cas-là.

— Qu'est-ce qu'elle t'a dit à propos d'*India Song* ?

— Ben… difficile de se rappeler ce qu'on a dit et ce que les autres vous ont dit dans une party.

— Tu as parlé à Marguerite Duras ! Tu dois quand même te rappeler ce qu'elle t'a dit.

— Si tu veux vraiment savoir, on a parlé des difficultés qu'elle a eues au moment du montage, c'est tout.

— Et c'était quel genre de difficultés ?

— Il m'a semblé, j'avais un peu bu, je ne sais pas si tu as déjà été à une party chez Straram, bon, tout ce que je peux dire, c'est qu'elle a eu des problèmes avec la bande-son. Finalement, elle a pris la bande-son d'un autre film et l'a montée sur *India Song*, je crois que c'était un film documentaire, c'est ça, un documentaire sur Hokusai.

Et dire qu'on envoie ces filles dans une institution sérieuse (McGill) pour apprendre la clarté, l'analyse et le doute scientifique. Elles sont tellement infectées par la propagande judéo-chrétienne que dès qu'elles parlent à un Nègre, elles se mettent à penser en primitives. Pour elles, un Nègre est trop naïf pour mentir. C'est pas leur faute, il y a eu, auparavant, la Bible, Rousseau, le blues, Hollywood, etc.

Miz Snob nous a invités à prendre un thé chez elle. Miz Littérature n'a pas de voiture. Miz Snob a une M.G. Elle loge à côté du cinéma Outremont. Coin boisé. Près de Saint-Viateur. Boucherie française. Pâtisserie grecque. Librairie, tout près.

Miz Snob partage un 7 1/2 avec deux autres filles de Sir George William's University qui passent l'été à Jasper. Deux grandes pièces, une cuisine spacieuse, trois petites chambres. Une fenêtre donnant sur l'ouest et deux sur l'est. Une bonne salle de bains avec cuve antique. Grand miroir d'époque sur mur laqué noir. Miz Snob a, sous la fenêtre de sa chambre, un grand lit de noyer faisant angle avec une grande armoire. Un piano noir contre un mur lustré blanc. Sous un projecteur se trouve installé un vieux daguerréotype (cadeau de sa grand-mère, la première femme photographe de Toronto).

Miz Snob étudie la photographie à McGill. À voir les posters sur les murs de la grande salle de séjour, il n'existe que deux personnes sur cette planète : Henri Cartier-Bresson et Marguerite Duras. Ah ! il faut dire aussi que Miz Snob est plus sexy que M. D. Elle se sert d'un appareil Nikon professionnel, et à l'époque du collège Dawson, elle sortait avec un Japonais.

C'est une pièce avec des vitraux de couleurs vives, un peu comme ceux de la Bibliothèque nationale, rue Saint-Denis. On dirait des dessins d'enfant. Accrochée au mur, une reproduction de Chagall. C'est chatoyant comme tout, Chagall. Au centre du dessin un énorme cercle contenant huit sphères d'une transparence mozartienne. Tout autour, des poissons, des oiseaux, des animaux terrestres, des lettres de l'alphabet font une ronde joyeuse sous l'œil du Lion de la tribu de Judas (un lionceau aux pattes rondes et inoffensives). Au loin : Jérusalem, la ville jaune.

Depuis notre arrivée, Miz Littérature n'arrête pas de feuilleter un album de photos de Lewis Hine.

Un thé, encore fumant, est servi dans un beau service en porcelaine de Saxe. Encore un cadeau de la grand-mère torontoise. Je suis allongé sur un pouf dans la position du Chat nègre. La fumée de l'encens monte vers le plafond. Gros nuages, on dirait des signaux sioux. Je les regarde aller et je me sens prêt à me lancer follement dans cette description gustative, mêlant la délectation des épices de la Route du Sucre aux sept saveurs du gingembre, à l'heure méridienne, pour terminer par un éblouissant télescopage (le nouveau Malraux nègre), où le Tao se retrouverait noyé dans cette théière de Saxe, mais ce serait impardonnable.

Miz Littérature, complètement vannée, est partie s'allonger dans une des chambres vides. Miz Snob est, paraît-il, insomniaque. Nous sommes, à présent, seuls.

Miz Snob prépare un autre thé dans la cuisine. Je me sens mou comme un de ces gros crabes des Rocheuses. Je me laisse aller avec un verre de daiquiri. À demi allongé sur le pouf, je regarde lascivement la pièce. Les boiseries ouvragées des meubles anciens ; une chaise *made in flea market* ; des coquillages océaniens entourant une sculpture du Dahomey sur une minuscule étagère ; deux batiks de femmes de New Delhi dans leur sari de soie légère debout sur la rive droite du Gange.

Sur une surface mobile (dans un coin), en équilibre dans la pénombre, un énorme Truman Capote (en chapeau) photographié par Andy Warhol.

Miz Snob réapparaît, soudainement, avec du thé chaud. Elle m'a surpris, farfouillant dans ses disques.

— T'aimes ça, Cohen ?

Comme personne n'a jamais prononcé le nom de Cohen sans ajouter tout de suite quelque chose ayant rapport de loin ou de près avec Dylan…

— Je le préfère à Dylan, dis-je, du moins dans ses premières chansons.

Miz Snob a failli renverser mon daiquiri. Elle aime Cohen, mais Dylan c'est Dylan.

La guitare sèche a ce don de créer un certain *mood*. Me voilà enfoncé dans un pouf à écouter Cohen en buvant du thé de Shanghai.

Miz Snob cherche un Rampal dans ses disques. Elle s'est agenouillée. Miz Snob, je le jure, porte un minuscule sous-vêtement de satin blanc. Elle a un corps blanc, pur, lisse, comme brillant.

— T'as pas faim ? me demande-t-elle brusquement.

— Vaguement.

— Parce que je me fais une omelette.

Je la suis dans la cuisine bien éclairée. Beau bois clair, grosse table de ferme et une collection de bouteilles d'épices (thym, muscade sèche, cari, paprika, sauge, moutarde, ciboulette, persil) au-dessus d'un poster d'Arcimboldo représentant une tête d'homme avec un collage de fruits de terre et de mer. Sur une étagère, dans un angle de la pièce, une collection de livres de cuisine édités par *Time Life*.

Miz Snob s'active à préparer l'omelette. Elle casse les œufs d'un coup sec sur le rebord de la poêle. Je regarde ses omoplates bouger sous l'étroit corsage blanc. Des muscles. Pas une once de graisse. C'est une fille de la génération Scarsdale. Les seins qui auraient dû être petits sont assez volumineux pour déborder légèrement vers l'extérieur. Je suis debout derrière elle. Ma main sort (sans mon ordre) vivement de ma poche où elle reposait comme un volcan éteint, pour entourer sa taille que je devine pareille à la courbe de Jane Birkin. Je me penche au même moment et embrasse son oreille pointue. Paraît qu'il fallait pas. Je n'ai pas reçu de gifle, rien de cela. C'était juste pire. Elle et moi, ou plutôt elle seule a décidé que nous ne serions pas des amants terribles.

Miz Snob a saupoudré l'omelette de cocaïne. Paraît qu'elle en met dans tout ce qu'elle mange. Elle est complètement dingue de Miz Judy (cocaïne).

Miz Judy et moi, autant le dire tout de suite, ça colle pas.

On a parlé de Hölderlin, ce vieux toqué, sur fond de Rampal. Très snob, Vieux.

— As-tu lu Burroughs ?

— Oui. Dans le genre, je préfère Corso.

Du vrai bon stock colombien.

— *Junkie*, ça t'a plu ?

Miz Snob aime citer des noms.

— Pas mal. Je préfère *Le Festin nu*.

— Je trouve ça un peu trop direct et ça vaut pas grand-chose à côté du *Journal* de De Quincey.

Rampal, au fond, c'est de la merde. Je m'en fous. On peut dire qu'elle a un bon *pusher*, Miz Snob.

Chapeau, Colombie. Satin blanc. Douleur nègre.

XX

Miz Mystic revient du Tibet

J'entends distinctement de l'escalier le vieux Mingus. Charlie Mingus. La porte est légèrement entrebâillée. Je n'ai qu'à la pousser. Miz Suicide est assise au pied de Bouba dans la position du lotus. Bouddha Nègre dévore une énorme pizza. Miz Suicide est accompagnée d'une fille qui revient du Tibet. Miz Mystic. Miz Mystic ressemble trait pour trait à un iguanodon. Le bestiaire de Bouba. Miz Mystic plane sans cesse, l'œil vague, le corps inutile. Pour éviter de perdre mon élan vital devant ces monstres, je plonge, sans crier gare, sur l'ultime morceau de pizza. Il reste encore, par chance, un vieux fond de vin. Miz Suicide est en train, une fois de plus, de faire bouillir l'eau pour le thé. Je m'assois sur ma chaise de travail, tournant le dos à la machine à écrire et contemplant, bêtement, cette saleté de Croix du mont Royal dans l'encadrement de la fenêtre. Miz Suicide sert le thé. Miz Mystic plane. Bouba lit des sourates du Coran à un rythme saccadé. Miz Mystic est à peine parlable.

— C'était comment, le Tibet?

— Comme ça.

— Comme ça! Ça alors! Pourtant, un voyage au Tibet, ça ne doit pas être rien.

Elle m'ignore.

— Est-ce qu'on soulève des montagnes, là-bas?

Elle me jette un regard glacial.

— J'ai pas vu ça.

— Je sais pas, moi, il doit certainement se passer des choses passionnantes dans ces grottes glacées.

— Pas spécialement.

Miz Mystic est assise, le dos contre le paravent japonais; elle a des yeux de lama contemplant un edelweiss. Miz Suicide en est à son troisième thé. Mingus entame une pièce plutôt fantaisiste qui contraste follement avec cette ambiance mystico-déprimante. Bouba est maintenant couché sur le Divan comme s'il était le Dalaï-Lama du Carré Saint-Louis. Je commence à ressentir la fatigue accumulée de ces deux nuits consécutives sans sommeil. Cette planète va très mal. («Ce peuple lui dit: Ô Dhoul Qarnein! voici que Yadjoudj et Madjoudj commettent des brigandages sur la terre. Pouvons-nous te demander, moyennant une récompense, d'élever une barrière entre eux et nous?») J'ai le temps, après ce vœu, de m'affaler, en diagonale, sur le lit avant de sombrer dans un sommeil ouaté. Mingus joue *Goodbye Pork Pie Hat.*

Je me réveille en sursaut pour voir Miz Mystic en train de piaffer sur le lit comme une détraquée. Puis elle essaie de toutes ses forces d'enjamber la fenêtre. Bouba la retient par la taille. Miz Suicide, elle-même, la tire par les pieds. L'aiguille, insensible, racle le disque. Miz Mystic écume de rage contenue. Son désir de se jeter en bas est si violent qu'il me paraît légitime. Dans ces cas, on devrait faire une exception. La laisser faire. Quelqu'un désire se tuer. Alors, c'est d'accord. (« Dis : la fuite ne vous servira à rien si vous fuyez la mort ou le carnage ; si Allah voulait, il ne vous ferait jouir de ce monde qu'un court espace de temps. ») Miz Mystic a déjà le buste complètement hors de la chambre. Sa jupe relevée jusqu'à la taille. Ses jambes sèches et nues. Miz Suicide la tire désespérément vers elle. Miz Mystic fait des progrès considérables vers le vide, sous l'œil indifférent de la Croix.

Je prends finalement conscience de la situation, me lève et, aidé de Bouba et de Miz Suicide, je ramène Miz Mystic à l'intérieur.

Miz Mystic dort, depuis un moment, sur le Divan. Un croissant de lune, en chapeau, derrière la Croix. La Remington luit dans le noir. Charlie

Mingus s'attaque, gravement, à *The Pithecanthropus Erectus* (1956). Près du carton de pizza, au milieu de la pièce, une des chaussures de Miz Mystic. Je distingue les rayures en filigrane du talon. Tout d'un coup, la déprime me tombe dessus. Cette chambre est bien le QG de tout ce que cette ville compte de marginales ; cette mafia urbaine qui a trouvé d'instinct son île au 3670 de la rue Saint-Denis, au Carré Saint-Louis, Montréal, Québec, Canada, Amérique, Terre. Chez moi. Faut-il croire qu'il n'y a aucune chance pour un honnête et consciencieux Dragueur nègre de trouver son paradis ? Je veux Carole Laure. J'exige Carole Laure. Qu'on m'apporte Carole Laure.

XXI

Le poète nègre rêve d'enculer
un bon vieux stal
sur la perspective Nevski

Il fait épouvantablement chaud. Le Carré Saint-Louis est bourré d'ivrognes au torse nu. L'air est lourd et empeste la bière. On rôtit à l'intérieur, là-haut. L'enfer, je vous dis. Bon, il me fallait cette raison pour descendre. Il n'y a que Belzébuth qui puisse baiser par une température pareille. Ses cris m'emmerdent. Du feu, c'est sûr, doit sortir de sa gueule, là-haut.

Le Carré Saint-Louis est un lieu assez spécial. Le sable mousseux. Les gosses sales à souhait. Une fille en train de photographier la maison de Pauline Julien.

Un clochard s'approche de moi, la main tendue.

— T'as pas un peu de monnaie ?

— Non.

— OK, je vais te le dire quand même.

Il sort de sa poche un minuscule morceau de papier.

— Regarde. Qu'est-ce que tu vois là ?

— Une carte d'Afrique découpée d'un *Time Magazine*.

Il me regarde alors droit dans les yeux.

— C'est ça, dit-il. Comment le sais-tu ?

— C'est écrit en bas de la carte.

— Oh ! t'es un intellectuel, toi.

— Je sais lire et il m'arrive de cogner aussi.

Il lève la main gauche en signe de paix.

— Ça va. Montre-moi ton pays sur la carte.

— Côte d'Ivoire. Voilà, c'est ici.

Je lui montre le premier pays que je peux épingler.

— Côte d'Ivoire ! Tu viens de là ? J'ai travaillé en Côte d'Ivoire. Je connais ton président.

Tous les clochards connaissent tous les présidents africains. Qu'est-ce qu'ils attendent pour me présenter au Premier ministre canadien ? Je n'ai pas encore été présenté au boss de la zone.

Je m'assois sur un banc du parc avec un bouquin commencé la veille. L'auteur est un certain Limonov. Un dissident russe. C'est le genre : « Un dissident russe pas comme les autres. » Au lieu de perdre son temps à jouer au prophète de malheur, Limonov prend son pied avec les Noirs de Harlem. Son bouquin s'appelle *Le Poète russe préfère les grands Nègres.* Ça mérite un bouquin-réponse : *Le Poète nègre rêve d'enculer un bon vieux stal sur la perspective Nevski*, éditions Nouvelles Frontières.

Le rideau de fer comme un baisage interrompu.

Bouba est revenu du SAVI (un centre de dépannage pour migrants et immigrants). Là-bas, il leur faut quasiment ta biographie complète et un certificat de bonne vie et bonnes mœurs pour te refiler vingt dollars. La classe ouvrière passe un mauvais quart d'heure depuis la révolution industrielle. Bouba s'est vendu. Demain, ce sera mon tour. Au retour, Bouba a fait le marché, chez Pellat's. Menu invariable : pommes de terre, riz, poulet (le cou seulement).

XXII

Le Pénis nègre
et la démoralisation de l'Occident

Métro Place des Arts. Bus 80, direction le nord. Avec arrêt au coin de la rue Laurier et de l'avenue du Parc. Bar Isaza. Escalier raide. Paysage enfumé. Marée de mazout ondulant sur la piste. Plusieurs boubous amidonnés. Nègres en rut. Quelques dizaines de souris blanches dans l'antre du Chat nègre.

— Elles sont là.

— Où ça?

— Table du fond, à droite.

— OK, Bouba, je vais pisser un coup.

Toilettes pour hommes. Deux Nègres pur ébène.

Le premier Nègre

Avec ces filles, frère, il faut être vif sinon elles te filent entre les doigts.

Le deuxième Nègre

C'est comme ça!

Le premier Nègre

Elles sont ici pour voir du Nègre, il faut donc

leur donner du Nègre.

Le deuxième Nègre

Qu'est-ce que c'est que « du Nègre » ?

Le premier Nègre

Écoute, frère, fais pas le malin, t'es ici pour baiser, c'est ça ? T'es venu ici pour baiser une Blanche, n'est-ce pas ? Eh bien, c'est comme ça.

Le deuxième Nègre

Pourquoi est-ce qu'une femme… ?

Le premier Nègre

Il n'y a pas de femmes ici, il y a des Blanches et des Nègres, c'est tout.

Corps huilés. Bois d'ébène, 18 carats. Dents d'ivoire. Musique reggae. Combustion. Nègre en fusion. Un couple Nègre/Blanche en train de copuler, presque, sur la piste. Un grand frisson atomique.

Bouba me présente.

— Mon frère. On habite ensemble.

Les filles me sourient.

— Qu'est-ce que tu fais ? me demande l'une d'elles.

— J'écris. Écrivain.

— Ah ! bon. Qu'est-ce que tu écris ?

— Des fantasmes.

— Quel genre ?

— Les miens. Ça vaut la peine ? On verra.

La fille avec qui je bavarde depuis quelques minutes regarde un peu mélancoliquement la piste avant de me demander ce que j'en pense.

— Rien, sinon que le Nègre et la Blanche sont complices.

— Complices ! Où est le meurtre ?

— Le meurtre du Blanc. Sexuellement, le Blanc est mort. Complètement démoralisé. Regarde un peu sur la piste. Crois-tu qu'il y a un seul Blanc capable de soutenir une telle démence ?

L'atmosphère est à la drague dure. Sauvage. Quelques Blancs sont occupés à gesticuler dans un coin. Le reste n'est plus qu'une marée noire, envahissante, débordante. Les femmes piégées là, fixées comme des mouettes dont les pattes restent prises dans le mazout. Musique brésilienne, lente, insinuante, langoureuse. Atmosphère gluante. Sensualité opaque.

— On danse ça ?

L'impression de pénétrer en pleine moiteur amazonienne. Corps en sueur. Enlacés. Comment traverser sans coupe-coupe ce fouillis de bras, de jambes, de sexes et d'odeurs enchevêtrés. Sensualité fortement épicée. Elle s'est plaquée contre moi, silencieuse. La samba nous fouille le ventre. Tout coule. Tout s'écroule. Tranquillement. Nous avons l'éternité pour nous.

Nous retournons à la table.

— Ton truc sur la sexualité, me dit-elle sans transition, c'est des clous.

— Ah! bon…

— Tu reprends tout simplement le mythe du Nègre Grand Baiseur. Je ne crois pas à ça, moi.

— Et c'est quoi, ton idée à toi?

— Pour moi, Nègre et Blanc, c'est pareil.

— On parle sexualité, pas mathématiques.

— Soit. Mais encore…

— Puisque tu m'as provoqué, je vais te dire le fond de ma pensée. Nègres et Blancs sont égaux devant la mort et la sexualité. Éros et Thanatos. Je pense que le couple Nègre/Blanche est pire qu'une bombe. Le Nègre baisant la Négresse ne vaut peut-être pas la corde qui doit le pendre, mais, avec la Blanche, il y a de fortes chances qu'il se passe quelque chose. Pourquoi? Parce que la sexualité est avant tout affaire de fantasmes et le fantasme accouplant le Nègre avec la Blanche est l'un des plus explosifs qui soit.

— L'émotion est nègre, n'est-ce pas là un mythe éculé?

— Oui, mais les Blancs ne peuvent pas gagner sur les deux tableaux. Ils s'affirment supérieurs aux Nègres partout et puis tout à coup, ils veulent être nos égaux quelque part. Dans la sexualité.

— Et les Blancs qui ne se croient pas supérieurs aux Nègres?

— Ceux-là, évidemment, n'ont pas de problèmes sexuels.

Une merengue
— On y va?

Koko, le musicien sénégalais que j'ai rencontré aux Clochards Célestes, veut me refiler un tuyau.

— J'ai avec moi une fille qui éprouve une véritable crise mystique pour toi.

— Et pourquoi, frère?

— Elle croit que tu es la réincarnation du dieu Râ.

— Rien que ça.

— Si ça te chante, tu peux passer à ma table.

Je laisse passer un moment, puis je m'y rends.

— Salut, Koko.

— Salut, frère. Assieds-toi.

La fille me paraît aussi calme qu'une cocotte-minute sous pression.

— Ça va, toi?

— Ça va.

Un bon reggae.

— On danse ça?

— OK.

Puis suit une musique brésilienne.

— On reste?

— OK.

C'est comme ça quand ça marche. Tout a l'air de baigner dans l'huile.

— Viens prendre un verre au bar, me dit-elle, comme ça on sera plus tranquilles pour parler.

On s'assoit au bar. Hauts tabourets. Nous commandons des drinks. Je lui demande ce qu'elle fait en ce moment.

— Je lis.

— Qu'est-ce que tu lis?

— Hemingway.

— Très bon.

Nous finissons nos verres puis elle m'invite à prendre le thé chez elle.

— OK, je viens.

— Tu pars avec cette fille? me demande Bouba comme je prenais ma veste derrière la chaise.

— Oui.

— Celle à côté de moi m'a dit que tu l'as plaquée parce qu'elle n'était pas d'accord avec toi.

— Dis-lui, Bouba, qu'elle en aurait fait autant.

— Elle m'a l'air d'en pincer pour toi. Elle m'a dit que c'est la première fois qu'on lui fait ça.

— Dis-lui que l'époque est dure pour tout le monde.

Je salue. La fille accompagnant Bouba, Miz Carte du Ciel, me sourit. Miz Mythe aussi. Je parierais que son sourire à elle était forcé. La fille m'attendait au pas de la porte.

XXIII

Le Chat nègre a neuf queues

Elle habite le quartier Notre-Dame-de-Grâce, à l'autre bout de la ville. Bien logée. En face d'un parc. Encore une en face d'un parc. Mais ce parc n'a rien à voir avec le Carré Saint-Louis. Elle cohabite avec deux chats : Lady Barbarella d'Odessa et Blue Salvador Nasseau alias Tonton.

Lady Barbarella est du genre enjouée, espiègle, potineuse. Sir Nasseau, plutôt grincheux. J'ai tout de suite compris que l'appartement leur appartenait en propre.

— Un verre ?

— Un daiquiri.

Miz Chat file vers la cuisine et je l'entends déjà rincer les verres dans l'évier. Elle met les glaçons. J'essaie d'interpréter chacun de ses mouvements.

La salle où je suis est séparée en deux pièces inégales par un paravent de toile cirée noire. La plus petite pièce, qui a l'air de servir de boudoir, possède un divan jaune et une minuscule bibliothèque composée exclusivement de livres érotiques : la fameuse collection de J.-J. Pauvert, l'œuvre complète de Miller (*Nexus, Sexus, Plexus*), *Histoire d'O*, les livres édités par Régine Deforges, l'*Œuvre amoureuse* de Lucien de Samosate, l'Arétin, Rachilde, Octave Mirbeau. L'autre pièce, quoique plus spacieuse, est toutefois moins impressionnante. Des estampes, un fauteuil en osier, quelques coussins et, un peu partout sur les murs, des photographies de chats. Des chats célèbres. Des chats littéraires. Des chats critiques d'art. Des chats communistes. Des chats snobs. Des chats végétariens. Lustrée et Fourrure, les chats de Malraux à Verrières-le-Buisson. Bébert, le chat de Céline. La chatte de Léautaud. Le chat de Remy de Gourmont. Le chat de Huxley. Le chat de Claude Roy. La chatte de Cocteau. La chatte gourmande de Colette. Le chat perdu de Carson McCullers et quelques photos de Lady Barbarella à Cuba, au Mexique (gardant les ruines d'un temple aztèque), à Trinidad, à Londres, en Chine (se promenant sur les murailles) et à Singapour.

Miz Chat s'affaire toujours à la cuisine à préparer le daiquiri. Il est toujours difficile d'entamer une conversation normale avec une personne qu'on vient à peine de rencontrer, comme ça par hasard. De plus, quand il s'agit d'un Noir et d'une Blanche et qu'ils se parlent, naturellement, à des années-lumière de distance métaphysique, alors la moindre distance physique aggrave considérablement la difficulté. Et c'est dans cette circonstance de séparation – elle à la cuisine et moi au salon – que la conversation a dérivé (seul Allah en sait quelque chose) sur la famine et le chat.

— Quoi !

— Je dis que…

— J'entends rien.

— Je disais que…

— Parle plus fort.

— Tu sais, chez moi, on mange les chats.

Cette fois, elle a bien entendu. Je prends alors conscience de la gaffe du siècle que je viens de commettre et c'est pourquoi j'ajoute aussitôt :

— Naturellement, pas moi.

Trop tard. C'était fait. Elle m'apporte à boire, l'air un peu constipé, et on essaie, courageusement, de changer de sujet de conversation.

— Tu m'as l'air d'aimer beaucoup lire ?

— Oui. Ça me coûte les yeux de la tête.

Elle jette un regard blasé à sa bibliothèque. Elle a l'air d'avoir oublié l'incident. On ne peut pas comme moi, d'un côté, aimer les livres et, de l'autre, bouffer les chats. Je lui aurais dit que je trouve une certaine finesse à la chair humaine, mais que, évidemment, c'est un peu fade bien qu'avec une bonne pincée de sel ça se mange facilement. Je lui aurais dit ça et elle m'aurait trouvé correct. Un type qui mange de la chair humaine n'est pas forcément plus mauvais qu'un autre.

Mais les chats, c'est autre chose. Au fond, elle a raison. Ceux qui aiment ont toujours raison. La voilà qui sourit doucement. L'alerte est donc passée. Ça me donne une brusque envie de pisser. Les toilettes, c'est la troisième porte. Je pisse un bon coup. Ouf! Je me regarde dans le miroir. L'Étrangleur de chats. Je n'ai pas la tête de l'emploi, mais méfiez-vous, comme ils disent. Alors qu'est-ce qui m'a pris de lui confier une chose aussi intime? L'Esprit du Malin. Belzébuth. L'Esprit de la brousse qui empêche le Nègre de grimper tranquillement l'échelle judéo-chrétienne. C'est peut-être aussi un signe d'Allah. Pour ne pas me commettre avec cette infidèle. («Récite donc ce qui t'a été révélé du Livre, acquitte-toi de la prière, car la prière préserve des péchés impurs et de tout ce qui est blâmable. Se souvenir d'Allah est un devoir grave. Allah connaît vos actions.») Pourquoi ai-je dit: Tu sais, chez moi, on mange les chats? Qu'est-ce qui m'a pris de dire une chose pareille? Heureusement qu'elle ne semble pas touchée outre mesure. Mais tout de même, pourquoi? Je me lave le visage, vigoureusement. Les dents blanches, l'œil féroce. Sexy. Prêt pour la guerre des sexes. Je sors.

Dans le couloir, Miz Chat, l'air paniqué, tient dans ses bras Lady Barbarella d'Odessa et le flegmatique Sir Blue Salvador Nasseau.

Si je ne perds pas trop de temps en d'inutiles excuses, il y a encore une chance d'attraper le dernier métro, celui de 1 h 30.

XXIV

L'Occident ne s'intéresse plus au sexe,
c'est pourquoi il essaie de l'avilir

Je me réveille avec les premières notes de *Saxophone Colossus*. Bouba est en train de faire sa première prière du jour. Vaisselle propre, pivoines à côté de ma Remington. Le réfrigérateur en fête : fromage, pâtés, lait, œufs, yogourt, légumes frais. Miz Littérature est passée pendant qu'on dormait. Elle a laissé un billet près de la machine.

Cher Vieux,
Êtes-vous toujours vivant ? Si oui, faites-le savoir. Si non, allez au diable.
Je vous fais trois propositions :
1. Venez ce midi et on déjeunera à la cafétéria de McGill.
2. Venez cet après-midi si vous savez jouer au badminton et trouvez-moi à la salle de gym.
3. Ce soir, Braxton est au Rising Sun, et moi aussi.

L.

Je me fais rapidement un copieux repas. Le soleil est encore incertain. La Remington, toujours fidèle au poste avec sa feuille blanche dans la gueule. Bouba achève sa prière (« Nous avons fait du ciel un toit solidement établi, et cependant ils ne font point attention à ses merveilles », Sourate XXI, 33).

Je m'installe devant la machine. Bouba déjeune à son tour.

— Ça a été comme tu voulais, hier, Bouba?

— Une vraie dingue, Vieux.

— Comme tu les aimes, alors.

— Pas tout le temps. Elle voulait tracer ma Carte. Je m'en foutais. Elle m'a emmené chez elle, sur Park Avenue. Un 5 1/2, pire qu'à l'oratoire. Sombre Bibliothèque mystique. Grandes photos de maharishi. Elle a tous les illuminés accrochés chez elle. Complètement toquée. On s'assoit en lotus sur des nattes de jonc. Elle ramène ses jambes sous ses fesses mystiques. Des jambes à faire craquer un groupe de moines bouddhistes saisis par l'ascétisme. Séance de méditation. Je n'arrête pas de bander.

— Et elle?

— Rien. Néant. Je me suis levé et je suis allé pisser un coup pour qu'elle sache que l'être humain, même noir (surtout), est fait de chair, de sang, de muscles et de pisse. Elle n'a pas bougé. Elle a simplement étiré ses jambes pour ensuite filer dans sa chambre et ressortir tout de suite avec son matériel de travail. Elle voulait tracer ma Carte à 2 heures du matin. Date de naissance, lieu, heure et tout ce qui suit : Jupiter influence Saturne et Saturne qui m'influence, moi, et moi qui n'arrivais même pas à l'influencer. Finalement, elle s'est rappelé mon existence, s'est relevée, tranquillement, pour aller préparer le bain. J'aime prendre un bon bain, mais avoue que ce n'était pas le moment. Ça sentait quand même bon. Une odeur de feuilles. Je ne suis pas un être aquatique, moi. Moi qui étais en feu. L'eau. Ce genre de mélange est plutôt éprouvant pour les nerfs. Ensuite, elle a mis un disque hindou, dans le genre « La Musique sacrée des plantes de l'Inde orientale ». T'as beau prêter l'oreille. T'entends rien. Musique des plantes, Vieux. Sont pas bavardes, les plantes. Bon, manquait l'encens. Je te le dis, frère : l'Occident ne peut plus bander sans stimulant. Bander simplement.

— T'as pas ton idée là-dessus ?

— Oh ! c'est une interview en règle. Je passe à la télé, eh bien, voici ma réponse : il y a trop de distractions. Les loisirs, la bombe, la religion, la marijuana, la télé. Nous sommes les derniers à vraiment bander sur le sexe. Les Blancs ne sont plus tellement intéressés. Par contre, les Blanches... je dirais qu'elles le sont encore un peu. Est-ce que j'ai choqué vos téléspectateurs ?

— Pas du tout. Je parle de tout dans cette émission, vous savez. Mais vous oubliez les films porno et les livres cochons. Toute cette nauséeuse prolifération ne prouve-t-elle pas que le Blanc, malgré ce que vous dites, est encore intéressé à la bagatelle, disons-le en langage moderne, au sexe ?

— C'est un piège. L'Occident ne s'intéresse plus au Sexe, je vous le dis, et c'est pourquoi il essaie de l'avilir. C'est dirigé contre les Nègres, parce que l'Occident judéo-chrétien pense que le sexe est l'affaire des Nègres ; alors il n'aura de cesse de discréditer la marchandise. C'est à nous autres, Nègres, de redonner au sexe sa pleine dignité.

— C'est le thème de la Nouvelle Croisade ?

— En plein ça.

XXV

Le Premier Nègre végétarien

Juste au moment où je terminais ce chapitre, Bouba est entré avec une fille superbe. Type californien. Soleil et orange. Dents blanches et sourire éclatant. Bref, une vraie *cover-girl*. Enfin! Ouf!

— Pas de vaisselle, Vieux, on mange dehors.

— Ça tombe bien, je viens de terminer la première version de mon roman.

— T'as entendu? Il vient de terminer ça.

Bouba prend le manuscrit à bras-le-corps en dansant autour de la table.

— Il me faut une douche, dis-je.

— On t'attend, Homère.

Douche. Un roman à moitié terminé. Une fille terrible et un repas en perspective. Il y a des jours comme ça. Je sors de la douche, un peu ébranlé. Allah s'occupe personnellement de moi ces temps-ci.

— Êtes-vous végétariens? nous demande gentiment Miz Cover-girl.

— Non, herbivores.

Elle a souri. Je sais que le bonheur parfait n'est pas de ce monde (« S'ils eussent cru en Allah, à l'apôtre et au Coran, ils n'auraient jamais recherché l'alliance des infidèles ; mais la plupart d'entre eux ne sont que des pervers », Sourate V, 84).

Un minable restaurant sur la rue Duluth.

Des herbes et du grain au menu. Une dizaine de personnes en train de bouffer religieusement des bols de luzerne. Nous nous asseyons à une table du fond, dos au mur. Le bruit des bouches mastiquant nous donne l'impression d'être dans une mosquée. Nous entendons le *credo végétarien* mâchonné par un troupeau de ruminants. Nous commandons nos plats à une fille nature qui semble avoir grandi au milieu d'un champ de luzerne. Ici, tout est à base de tournesol. Tout autour de nous, une vingtaine de tables en bois réparties dans trois petites pièces. Les murs sont criblés de prospectus de maharishi, de revues agricoles et écologistes, de propagande mystique, de bandes dessinées. Comment bouffer dans un pareil décor ? Les clients ont l'air désespéré dans leurs chemises de bûcheron. Juste derrière moi, je peux lire une offre alléchante : « Christine, femme naturiste branchée sur la voie spirituelle, est à la recherche d'une maison à la campagne. Serait prête à la partager avec une ou plusieurs personnes intéressées à vivre une expérience en énergétique chinoise (tai-chi et acupuncture) dans un site merveilleux. » La drague est sûrement interdite, sinon ce serait amusant de voir un Nègre en énergétique chinoise avec une Blanche. Une grande affiche montre une jeune femme en tunique. Margilis. Vrai, Margilis au Conventum. C'est écrit : Margilis en furie. On file au Conventum. Dans le hall d'entrée, nous pouvons admirer une exposition de singes en tutu derrière les barreaux d'une cage, à côté de six grandes affiches, en noir et blanc, d'une pièce off Broadway. Nous entrons. Margilis. Entracte. Je file aux toilettes. Juste à côté du miroir, un message codé : « New York Luigi ? Jojo, Smith. Paris Lucienne Lambale/Londres Marie Lambert Co/Danseuse principale pour *talk of the town*, "émission zoom"/ballet-jazz Montréal Eddy Toussaint et Co. »

Je m'approche de Miz Cover-girl qui est en pleine conversation avec deux autres filles. Elle me les présente. L'une est maigre ; l'autre, énorme. Un scandale biologique et une curiosité anthropologique. D'abord Miz Luzerne (elle est gentille), genre nature, peau fraîche, taches de rousseur, odeur de foin, tout à fait le genre à vouloir faire l'amour dans une étable. Elle laisse transparaître une sensualité robuste. L'autre, plutôt squelettique, n'a pas de seins (aucune trace), fume trois paquets de Gitanes par jour et écrit des poèmes. Miz Luzerne, comme on s'en doute, s'occupe de la culture de la luzerne dans une communauté baptisée « La révolution collective/compagnie de luzerne/inc ». Elle en mange, en parle, en vend et en chie. Elle en baise aussi. Elle doit bien en engendrer. Tandis que Miz Luzerne nous raconte l'épopée de la luzerne, Miz Gitane, elle, n'arrête pas de fumer.

Re-Margilis. Furie bis. Personne ne veut prendre une décision. Nous passons au bar du Conventum et nous avalons en vitesse un sandwich aux merguez. Il y a ensuite, au programme, cette lecture de poésie que personne ne veut rater à la galerie Dazibao. Bouba et moi, nous comptons passer au Zorba pour y manger un souvlaki, histoire de renouer un peu avec la viande.

Dazibao, rue Saint-Hubert, au-dessus du café Robutel. Il faut, pour y accéder, grimper un escalier assez raide soudé au Robutel comme une anse à cafetière. Comme prix d'entrée, il faut acheter un lot d'exemplaires de la *NBJ*, la revue des poètes d'avant-garde. Coût total : 2,50 $. Fini le temps des Maïakovski où la poésie était gratuite. À l'intérieur, tout ce que Montréal compte de laissés-pourcompte de la poésie. Poètes alcooliques, mystiques, bûcherons, camionneurs, poètes tuberculeux, poétesses surdraguées. Nous prenons place, Bouba et moi, dans le fond de la salle. Un grand type, à côté de Bouba, n'arrête pas de hurler à la mort, après chaque strophe. Des caisses de bière à côté de ses pieds. Poésie à l'ivromètre. Une énorme poétesse, ronde comme une barrique de bière, raconte l'histoire de son amant bûcheron jaloux de sa bibliothèque. Un géant doux voudrait nous chanter une berceuse. Une poétesse, complètement soûle, s'assoit entre Bouba et moi. Puis l'énorme poétesse revient à l'avant pour raconter l'histoire d'un amant qui puait des pieds. Ou il faisait l'amour avec ses bottes ou il s'en allait. La plupart du temps, il le faisait sans ses bottes et la maison restait empestée pendant une semaine. Je rentre chez moi. Le roman m'attendait. Je place une dernière bière à côté de ma Remington avant de me faire un sandwich. La nuit sera longue.

XXVI

*Ma vieille Remington
s'envoie en l'air en sifflotant*
y'a bon banania

Flou. Je ne vois presque plus rien. Je me suis
enfermé depuis trois jours avec une caisse de bière
Molson, trois bouteilles de vin, deux boîtes de
spaghettis Ronzoni, cinq livres de pommes de terre
et cette maudite Remington. J'ai affiché en bas,
près de la sonnerie, un avertissement on ne peut
plus clair : « Ne dérangez pas le grand écrivain, il
est en train d'écrire son ultime chef-d'œuvre. » Au
bout de trois jours à taper sans arrêt, les petites
lettres m'apparaissent irisées. Les lettres capitales
ressemblent plutôt à ces araignées poilues des tropiques. La chambre tangue légèrement sous l'effet
Molson. Une épaisse chaleur entre, par vagues
successives, dans mon dos. Les consonnes n'arrêtent pas de forniquer et d'engendrer, là, sous mon
nez. La vaisselle traîne. La poubelle déborde.
J'étouffe. Je regarde, sans force, les cafards vaquer
à leurs occupations quotidiennes. La chambre

baigne dans un jus ultra-marin. Comment ne pas se prendre pour un génie dans de telles conditions? Cette chaleur atroce! J'imagine bien Homère, le vieil Homère, tapant sous le soleil méditerranéen son premier bouquin, son *Iliade*. Borges l'aurait fait dans son costume gris anthracite par 88 °F. Bukowski, oui. Saint-John Perse, non et cela malgré son origine caribéenne. Il suffit d'avoir une bonne Remington, d'être sans le sou, sans éditeur, pour croire que l'ouvrage qu'on est en train d'écrire avec la violence de ses tripes est le chef-d'œuvre qui vous sortira du trou. Malheureusement, ce n'est jamais le cas. Il faut autant de tripes pour faire un bon livre que pour en faire un mauvais. Quand on ne possède rien, on espère, au moins, le génie. Mais le génie a la gueule fine. Il n'aime pas les démunis. Je suis nu comme un ver. Je ne pourrai jamais m'en sortir avec un manuscrit moyen.

Le jour, j'écris.
La nuit, je rêve.

Dans mon rêve, je passe devant la librairie Hachette sur la rue Sainte-Catherine. Je vois mon roman dans la vitrine, sous une annonce énorme : «Un jeune écrivain noir de Montréal vient d'envoyer James Baldwin se rhabiller.» J'entre. Mon livre est placé entre Moravia et Green. En bonne compagnie. Ce livre, tranquillement assis, cette couverture jaune et rouge, cet effet jazz, c'est moi. Moi tout entier. Je suis ces cent soixante pages bien tassées. Quelqu'un entrera, à l'instant, et il feuillettera, pendant un moment, mon livre, d'un air à la fois soupçonneux et ravi, puis il se dirigera vers la caisse où il remettra à la caissière les 12,95 $ que coûte mon livre. La caissière déposera mon livre dans un sac Hachette et le lui remettra. Et le type s'en retournera avec mon livre qu'il vient d'acheter. Et cet homme, ô miracle, sera mon premier véritable lecteur.

Le libraire s'est approché de moi. Il m'a reconnu. Ma photo est reproduite en quatrième de couverture.

— Monsieur…

Et cet homme, ô miracle, est le premier Blanc à m'appeler monsieur.

— Monsieur, monsieur…

Je fais comme si je n'avais pas entendu. C'est si nouveau à mon oreille. Je le laisse mariner un peu.

— Monsieur…

— Oui…

— J'ai lu votre livre…

— Ah ! merci (Oh ! comme je deviens bourgeois).

— Il est très puissant.

— Est-ce que les gens l'achètent ? (Oh ! comme je deviens mercantile.)

— Il marche très fort.

— Ah ! bon.

— Vous ne semblez pas au courant ?

— J'étais à New York. Je ne suis arrivé qu'hier soir. Je n'ai pas encore parlé à mon éditeur.

— Je vois. Venez, venez dans mon bureau, vous lui téléphonerez de là.

J'appelle effectivement mon éditeur.

— Allô…

— Oui…

— Je ne sais pas si vous vous souvenez de moi.

— Hum.

— Je vous avais envoyé un manuscrit…

— Mauvaise saison. Très mauvaise. Qu'est-ce qu'on vous avait répondu ?

— C'était le manuscrit intitulé *Paradis du Dragueur nègre*.

— Où diable étais-tu passé ? On t'a cherché partout.

— J'étais là.

— Là où ?

— J'étais à New York. Je vais toujours à New

York à pareille époque.

— Bon. Ton bouquin est paru et il a l'air de bien marcher.

— Ça se vend bien?

— Pas si vite…

— Je suis chez Hachette.

— N'écoute pas les libraires, ils ne savent rien de rien. Ce ne sont que des vendeurs. Ils ne prennent aucun risque. Aucun, aucun.

— Alors d'où viendrait ce succès?

— La critique, mon ami. La critique est à tes pieds.

— Ça me flatte, mais les dollars aussi ça compte.

— Ne me réponds pas sur ce ton, jeune homme, tu auras tout le temps de jouer au cynique avec Madame Bombardier.

— Miz Bombardier!

— Pas si vite… Bon, oui, oui, tu passes avec Bombardier à l'émission *Noir sur Blanc*, et ça t'ira comme un gant. Mais, en attendant, il faut regarder ce qu'on a et ce qu'on a, c'est un très grand article de Jean-Éthier Blais.

— Blais!

— En personne, cher ami, et il n'y va pas de main morte. Écoute et reste assis, voici ce que Monsieur Blais écrit : « Je n'ai jamais rien lu d'aussi fort, d'aussi neuf, d'aussi évident. C'est le plus terrible portrait de Montréal que j'ai eu sous les yeux depuis des années. Si ce que dit ce jeune homme est vrai, alors notre libéralisme est la pire saloperie qui soit (ce dont je me doutais bien). » Et Pierre Vallières, lui, clame sur cinq colonnes dans *La Presse* : « Voici, enfin, les Nègres Noirs d'Amérique ! »

— Ben… c'est chic de leur part.

— C'est chic de leur part, c'est tout ce que tu trouves à dire, et moi, je n'ai droit à rien ! Je vous connais bien, vous autres, vous écrivez votre petit machin dans votre sous-sol mal éclairé et vous vous prenez tous pour Miller. Alors, quand une fois sur dix mille, ça marche, vous jouez les ingénus… Ah ! oui, quelqu'un t'a téléphoné et a demandé que tu rappelles.

— Carole Laure.

— Comment le sais-tu ?

— Je le sais.

Carole Laure. Carole Laure. Carole Laure. Carle Or Chlore. CL². Qu'est-ce que je vais dire à CL ? J'ai écrit un bouquin avec mes tripes pour avoir un téléphone de CL. Et ça marche, je l'ai. Comment se sent-on en pareil cas ? Je ne me sens pas.

— Allô…
— Oui. C'est Carole Laure.

— Oui. Vous avez téléphoné à mon éditeur…

— Oh! c'est vous.

— J'étais à New York. Et ce n'est qu'aujourd'hui que mon éditeur m'a transmis votre message.

— Qu'est-ce que vous faites?

— Qu'est-ce que je fais???

— Bon. Je vois. Avez-vous déjà soupé?

— Ah! non.

— Je vous invite. Où êtes-vous en ce moment?

— Moi (je ne m'y fais pas encore)… je suis au coin de Berri et de Sainte-Catherine.

— Je ne suis pas très loin. Vous connaissez la rue Prince-Arthur?

— Oui.

— Alors à tout à l'heure.

J'ai rendez-vous sur Prince-Arthur avec CL. Sur Prince-Arthur, mais où? Non, merde! Salaud d'Allah. J'ai oublié de lui demander l'adresse exacte. Je ne vais pas me mettre à chercher CL dans tous les restaurants de la rue Prince-Arthur. Je ne peux tout de même pas tendre un lapin à Carole Laure!

Le supplément littéraire du samedi de *La Presse* titrait (parlant de moi) : «Le nouveau prodige.» Tu parles d'un prodige! Même pas capable de prendre correctement un rendez-vous.

Je suis maintenant à Radio-Canada, dans la salle d'enregistrement de l'émission *Noir sur Blanc*.

Miz Bombardier, faisant face à la caméra, commence l'émission : « Le roman que vous lirez cette saison s'appelle : *Paradis du Dragueur nègre*. Il a été écrit par un jeune écrivain noir de Montréal. C'est son premier roman. Il a été chaleureusement accueilli par la critique. Jean-Éthier Blais affirme n'avoir rien lu d'aussi fort depuis longtemps. Réginald Martel y voit le signal d'un mouvement vers de nouvelles formes littéraires. Gilles Marcotte parle de "filtre de lucidité à travers lequel la violence et l'érotisme le plus cru acquièrent de la pureté". Un professeur d'un collège de Montréal l'a recommandé à ses étudiantes dans le cadre de son cours *Racisme et Société*. David Fennario le traduit actuellement en anglais, et compte en tirer une pièce : *Négroville*. »

Miz Bombardier se tourne maintenant vers moi : « J'ai lu votre livre, j'ai bien ri, mais vous n'aimez pas les femmes, m'a-t-il semblé ?

R. : Les Nègres aussi.

Miz B. sourit. J'avais gagné la première manche.

Q. : Mais encore...

R. : Je dis que quand on commence à déballer les fantasmes, chacun en prend pour son compte. Je vous fais remarquer qu'il n'y a, pratiquement, pas de femmes dans ce roman. Mais des types. Il y a des Nègres et des Blanches. Du point de vue humain, le Nègre et la Blanche n'existent pas. D'ailleurs, Chester Himes dit que ces deux-là sont une invention de l'Amérique au même titre que le hamburger et la moutarde sèche. J'en donne, ici, une version disons... personnelle.

Q. : Tout à fait personnelle. J'ai lu votre roman. Ça se passe au Carré Saint-Louis. C'est, brièvement, l'histoire de deux jeunes Noirs qui passent un été chaud à draguer les filles et à se plaindre. L'un est amoureux de jazz et l'autre de littérature. L'un dort à longueur de journée ou écoute du jazz en récitant le Coran, l'autre écrit un roman sur ce qu'ils vivent ensemble.

R. : C'est exact.

Q. : Je voudrais vous demander quelque chose...

R. : Allez-y.

Q. : Est-ce vrai ?

R. : Quoi ?

Q. : Est-ce que tout cela vous est vraiment arrivé ? Je vous demande ça parce que dans la réalité, vous habitez encore au même endroit, au Carré Saint-Louis, vous avez un ami chez vous et vous êtes écrivain comme votre narrateur.

R. : Ce n'est que pure coïncidence.

Q. : Soit. Votre roman est le premier véritable

portrait de Montréal venant d'un écrivain noir, avouez tout de même que vous avez eu la dent dure...

R. : Ah! bon...

Q. : ... et ça fait notre plaisir parce qu'on nous avait trop longtemps habitués avec des Noirs un peu plaintifs.

R. : Ceux de mon roman n'arrêtent pas de se plaindre, eux aussi.

Q. : Oui, mais pas sur le même tempo. C'est plus coriace, plus sec, plus pugnace. Ils n'arrêtent pas de se plaindre, c'est vrai, mais ils savent cogner aussi et avec un humour qui emporte tout.

R. : C'est comme ça dans la vie. On pare les coups et on en donne.

Q. : Et ils le font avec de drôles d'armes. Généralement, les Noirs font appel à l'Afrique dans ces cas-là. Vos personnages, non. Pourquoi?

R. : Parce que ce sont des Occidentaux.

Q. : Ils sont musulmans!

R. : Oui. Leur foi appartient à l'islam, mais leur culture est totalement occidentale, si vous voulez : Allah est grand, mais Freud est leur prophète.

Q. : De curieux musulmans!

R. : C'est la réalité. Vous savez, dans une rencontre entre un Noir et une Blanche, ce qui prédomine c'est le mensonge.

Q. : Vous n'êtes pas en train, disons-le, de trop noircir ça?

R. : Écoutez. Hier soir, j'étais dans un bar du centre-ville. Il y avait, à côté de moi, un Noir et une Blanche. Je connaissais le type. C'est tout juste s'il ne disait pas à la fille qu'il était un amateur de chair humaine, qu'il venait de la brousse, que son père était le grand sorcier de son village. Bon, on connaît la musique. Et moi, je voyais la fille hocher la tête, en extase devant un vrai de vrai, l'homme primitif, le Nègre selon *National Geographic*, Rousseau et Cie. Je connais très bien ce type et je sais qu'il vient, non pas de la brousse mais d'Abidjan, l'une des grandes villes d'Afrique, qu'il a longtemps vécu au Danemark et en Hollande avant de venir s'établir à Montréal. C'est un urbain et un Occidental. Mais cela, il ne l'admettra devant aucune Blanche pour tout l'ivoire du monde. Devant le Blanc, il veut passer pour un Occidental, mais devant la Blanche, l'Afrique doit lui servir, en quelque sorte, de sexe surnuméraire.

Q. : Et la fille?

R. : En extase, je vous dis. Elle avait trouvé son Afrique. Son primitif.

Q. : Vous avez l'œil dur.

R. : C'est l'époque qui est dure. Ce type aussi a été blessé. Savez-vous ce qu'il m'a dit aux toilettes ? Il m'a dit : « Tu ne sais pas pourquoi les Blancs ne disent jamais d'un Noir qu'il est laid ? » Je ne connaissais pas la réponse à sa question. Alors, il a lui-même répondu : « C'est parce que, jusqu'à présent, ils ne sont pas encore sûrs de notre véritable nature. »

Q. : Soyez plus clair.

R. : Bon, on ne dit pas d'un chat qu'il est laid. On ne peut qu'en dire du bien ou alors on se tait. D'ailleurs, on n'est pas très sûr à propos des animaux. On dit que le tigre est un très bel animal, mais on ne connaît pas l'avis des autres animaux de la jungle. De plus, on ne parle jamais de tel tigre. On dit le tigre. C'est pareil pour les Noirs. On dit les Noirs. C'est une espèce. Il n'y a pas d'individu.

Q. : Vous ne charriez pas un peu là ?

R. : Si vous voulez.

Q. : Comment les Noirs ont-ils accueilli votre livre ?

R. : Ils veulent me lyncher.

Q. : Pourquoi ?

R. : Pourquoi ! Parce que j'ai vendu la mèche. Ils n'aiment pas avoir le nombril à l'air. Ils disent que je suis un vendu, que je fais le jeu des Blancs, que mon livre ne vaut rien et que, si on l'a publié, c'est tout simplement parce qu'il faut toujours un

Nègre pour faire des grimaces et donner bonne conscience aux Blancs.

Q. : Et c'est votre avis ?

R. : Je n'ai pas d'avis. Ou je parle écriture ou je ne parle qu'en présence de mon avocat. D'ailleurs, ce n'est pas l'avis de la *Moral Majority* qui affirme que mon livre est une ordure qui salit son lecteur, qu'il a pour unique but d'avilir la Race Blanche dans ce qu'elle a de plus sacré : la femme. Vous voyez, je fais banco.

Q. : Et ça ne vous gêne pas ?

R. : Quoi ? Avilir la femme blanche ?

Q. : Non. L'opinion des Noirs.

R. : C'est le destin de tout écrivain que d'être un traître. J'espère que c'est mon premier cliché depuis le début de l'entretien.

Q. : Une dernière question. Allez-vous écrire un autre livre ?

R. : Oui. Et même trois. C'est dans le contrat.

Q. : Alors, bonne chance.

XXVII

Les Nègres ont soif

Bouba a amené ici, hier soir, deux filles à moitié
mortes. Toutes deux affreuses. Elles flânaient rue
Sainte-Catherine. C'est connu, personne n'a jamais
séduit une fille seulement en lui offrant le gîte.
Elles ne pouvaient être qu'affreuses.

Bouba m'a glissé en entrant que la grande était
à moi, que je pouvais en faire ce que je voulais :
la baiser, la vendre ou la jeter par la fenêtre. Je ne
voulais rien savoir de tout cela. Il n'y avait pas cette
clause dans le contrat. Il y a un mois, elle aurait été
une bénédiction (« Il leur semblera qu'ils n'ont
demeuré qu'un instant de la journée sur la terre.
Telle est l'exhortation. Les pervers ne seront-ils pas
les seuls qui périront ? » Sourate XLVI, 35). Ces
jours-ci, je suis en diète. J'en ai marre des éclopées,
des soûlardes, des poétesses, des à moitié mortes,
marre de toutes ces filles juste bonnes pour les
clochards et les Nègres. Je veux une fille normale
avec un père conservateur et une mère bourgeoise
(tous deux racistes), une vraie de vraie de jeune fille,

pas une poupée gonflable gorgée de bière ; merde, j'ai soif, moi aussi, d'une vie décente. J'ai soif. Les Dieux ont soif. Les Femmes ont soif. Ben, pourquoi pas les Nègres. Les Nègres ont soif.

La Grande avait l'air plus moche qu'un cafard du dimanche soir. Elle m'a à peine remarqué, a ouvert le réfrigérateur et s'est servi une bière. Grande, laide, vulgaire (« On vous a prescrit la guerre et vous l'avez prise en aversion », Sourate II, 212). Là-haut, Belzébuth fait le mort. Mort !

Bouba a commencé à déshabiller la P'tite en lui caressant les seins. La Grande a déjà avalé trois bières et elle ne m'a pas encore repéré. Je me faisais tout petit dans un coin du lit. Bouba me faisait signe de m'occuper d'elle tout en continuant à caresser la P'tite. J'attendais la Grande au tournant de la onzième bière. Puis le plafond m'est tombé sur le crâne dans un fracas assourdissant. Cela devait arriver un jour ou l'autre. Des colonnes de poussière rosée. Le plafond a résisté. Nous sommes passés à un doigt de la mort. Belzébuth, lui, là-haut, n'était pas mort.

La Grande est entrée, tout habillée, sous la douche et elle s'est mise à hurler de toutes ses forces. Elle criait qu'elle avait faim. Alors, elle est allée se faire cuire des spaghettis. Toute mouillée. Je ne peux pas dire exactement quand mes nerfs ont craqué. Je n'ai pas arrêté de hurler pendant au moins une heure. Les policiers sont venus. Je me suis endormi immédiatement après. Et le lendemain matin, elles étaient parties.

Midi sale. Bouba est sorti. Je tape à toute vitesse ce dernier chapitre. Je vois, enfin, le bout du bout de ce bouquin de malheur. La Remington (ma vieille complice) semble avoir gardé la forme. Je n'aurai plus qu'à ajouter ce prologue. Tout bien compté, j'ai écrit ce roman en trente-six jours et dix-huit nuits, et j'ai utilisé trois rubans, quatre tubes à effacer, cinq cents feuilles (papier *bond*), trente bouteilles de vin, douze caisses de bière. Je tiens cette comptabilité dans un minuscule carnet noir, cadeau de Miz Littérature. Je tape avec frénésie. La Remington jubile. Ça gicle de partout. Je tape. Je n'en peux plus. Je tape. J'en ai ma claque. J'achève. Je m'affale sur la table, à côté de la machine à écrire, la tête entre les bras.

XXVIII

On ne naît pas Nègre, on le devient

L'aube est arrivée, comme toujours, à mon insu.
Gracile. Des rayons de soleil à fleurets mouche-
tés. Comme des pattes de saint-bernard. Le roman
me regarde, là, sur la table, à côté de la vieille
Remington, dans un gros classeur rouge. Il est
dodu comme un dogue, mon roman. Ma seule
chance. Va.

TABLE

———

DANY LAFERRIÈRE

Le Cri des oiseaux fous

Roman

« Droite, fière, sans un sourire, ma mère me
regarde partir. Les hommes de sa maison partent
en exil avant la trentaine pour ne pas mourir en
prison. Les femmes restent. Ma mère a été
poignardée deux fois en vingt ans. Papa Doc a
chassé mon père du pays. Baby Doc me chasse
à son tour. Père et fils, présidents. Père et fils,
exilés. Et ma mère qui ne bouge pas. Toujours
ce sourire infiniment triste au coin des lèvres.
Je me retourne une dernière fois, mais elle n'est
plus là. »

Vieux Os a vingt-trois ans. Son ami Gasner,
journaliste comme lui, vient d'être assassiné par
les tontons macoutes. La mécanique de l'exil est
enclenchée. De courses effrénées en déambula-
tions rêveuses, Vieux Os parcourt son monde
en accéléré : les amis de toujours, les belles de
nuit du Brise-de-Mer, les souvenirs d'enfance à
Petit-Goâve, Sandra et Lisa – « l'une pour le
corps, l'autre pour le cœur » –, les tueurs qui
rôdent dans la nuit de Port-au-Prince, un ange
gardien aux allures de dieu vaudou…

« Cette nuit, je saurai tout de la vie. »

DANY LAFERRIÈRE

L'Odeur du café

Roman

« J'ai passé mon enfance à Petit-Goâve, à quelques kilomètres de Port-au-Prince. Si vous prenez la nationale Sud, c'est un peu après le terrible morne Tapion. Laissez rouler votre camion (on voyage en camion, bien sûr) jusqu'aux casernes (jaune feu), tournez tranquillement à gauche, une légère pente à grimper, et essayez de vous arrêter au 88 de la rue Lamarre.

Il est fort possible que vous voyiez, assis sur la galerie, une vieille dame au visage serein et souriant à côté d'un petit garçon de dix ans. La vieille dame, c'est ma grand-mère. Il faut l'appeler Da. Da tout court. L'enfant, c'est moi. Et c'est l'été 63.

Da boit son café. J'observe les fourmis. Le temps n'existe pas. »

DANY LAFERRIÈRE

Pays sans chapeau

Roman

« La nuit existe dans ce pays. Une nuit mysté-
rieuse. Moi qui viens de passer près de vingt ans
dans le Nord, j'avais presque oublié cet aspect
de la nuit. La nuit noire. Nuit mystique. Et il
n'y a que le jour qu'on puisse parler de la nuit…
On dirait que deux pays cheminent côte à côte,
sans jamais se rencontrer. »

Après vingt ans d'absence, l'écrivain rentre chez
lui, à Port-au-Prince. Le pays, en apparence, est
le même. Mais au fil des silences, des mots
chuchotés, et de quelques rencontres impro-
bables, le voilà lancé, lui, l'écrivain qui se dit
primitif, dans une étrange enquête sur le Pays
sans chapeau – c'est ainsi qu'on appelle l'au-delà
en Haïti. Et c'est le pays rêvé qui prend le pas sur
le pays réel.

Pays sans chapeau est l'extraordinaire chronique
de ce reportage, habitée par l'émotion du retour
et la magie des dieux cachés. « Ils sont là, je le
sais, ils sont tous là à me regarder travailler à ce
livre. Je sais qu'ils m'observent. Je le sens. »

LA COUVERTURE DE
Comment faire l'amour avec un Nègre sans se fatiguer
A ÉTÉ CRÉÉE PAR DAVID PEARSON
ET IMPRIMÉE SUR OLIN ROUGH
EXTRA BLANC PAR L'IMPRIMERIE
FLOCH À MAYENNE.

LA COMPOSITION,
EN GARAMOND ET MRS EAVES,
ET LA FABRICATION DE CE LIVRE
ONT ÉTÉ ASSURÉES PAR LES
ATELIERS GRAPHIQUES
DE L'ARDOIS IÈRE
À BÈGLES.

IL A ÉTÉ REPRODUIT SUR LAC 2000
ET ACHEVÉ D'IMPRIMER EN FRANCE
PAR L'IMPRIMERIE FLOCH À MAYENNE
LE VINGT-HUIT MAI DEUX MILLE VINGT
POUR LE COMPTE DES ÉDITIONS ZULMA
VEULES-LES-ROSES.

978-2-84304-972-9
N° D'ÉDITION : 972
DÉPÔT LÉGAL : SEPTEMBRE 2020

❧

NUMÉRO
D'IMPRIMEUR
96216

❧

IMPRIMÉ EN FRANCE